LE MANGEUR DE BICYCLETTE

DU MÊME AUTEUR

Poudre de kumkum, XYZ éditeur, 2002

Trois secondes où la Seine n'a pas coulé, Noroît, 2001

Le Ventriloque, Lansman, 2000

Roller (*in Théâtre à lire et à jouer*), Lansman, 2000

Téléroman, Lansman, 1999

Piercing, Dazibao, 1999 (photographies de Petra Mueller)

Les Mains bleues, Lansman, 1998

Éloge de la paresse (in *Les Huit Péchés capitaux*), Dramaturges éditeur, 1997

Ogre – Cornemuse, Lansman, 1997

Le Génie de la rue Drolet, Lansman, 1997

The Dragonfly of Chicoutimi, Les Herbes Rouges, 1996

Le Crâne des théâtres, essais sur les corps de l'acteur, Leméac, 1993

Leçon d'anatomie, Laterna Magica, 1992

Anna à la lettre C, Les Herbes Rouges, 1992

Gare à l'aube, Noroît, 1992

La Place des yeux, Trois, 1989

Le Déclic du destin, Leméac, 1989

LARRY TREMBLAY

LE MANGEUR DE BICYCLETTE

roman

LEMÉAC

Ouvrage édité sous la direction de Monic Robillard

Données de catalogage avant publication

Tremblay, Larry, 1954

    Le Mangeur de bicyclette

    (Collection Roman)

    ISBN 2-7609-3249-4

    l. Titre.

PS8589.R445M36 2002   C843'.54   C98-941381-8
PS9589.R445M36 2002
PQ3919.2.T73M36 2002

Leméac Éditeur remercie le ministère du Patrimoine canadien, le Conseil des arts du Canada, la Société de développement des entreprises culturelles du Québec (SODEC) et le Programme de crédit d'impôt du Gouvernement du Québec du soutien accordé à son programme de publication.

ISBN 2-7609-3249-4

© Copyright Ottawa 2002 par Leméac Éditeur Inc.
4609, rue d'Iberville, 3ᵉ étage, Montréal (Québec) H2H 2L9
Dépôt légal – Bibliothèque nationale du Québec, 3ᵉ trimestre 2002

Imprimé au Canada

Pour Rolf

PREMIÈRE PARTIE

UN FANTÔME DE QUATRE LETTRES

1

EN BUVANT UNE MORT SUBITE

Une fille, oui une fille, venait de s'asseoir à ma table. Ce n'était pas Anna, mais c'était une fille. M'avait-elle pris pour un autre ? Maintenant qu'elle était assise, il lui était difficile de faire machine arrière. Pourtant non. Elle était bel et bien venue vers moi en connaissance de cause. Elle l'avait fait d'une manière qui dénotait un esprit de décision évident.

Quelle découverte : cette fille s'était assise à ma table parce qu'elle l'avait voulu et le voulait encore ! Un tiraillement intérieur me gagnait. Il se transforma en pure émotion quand je levai la tête et aperçus l'heure sur l'horloge qui étincelait au-dessus du bar : vingt-deux heures pile. Cette fille s'était assise à ma table à l'heure exacte de mon rendez-vous avec Anna.

Cette fille ne pouvait plus être une fille ordinaire lancée sur ma trajectoire par un samedi soir insouciant qui se moquait éperdument des rencontres qu'il provoquait. Non. Cette fille était LA fille. Elle s'était assise à vingt-deux heures pile. Elle n'était pas Anna. Elle était la seule porte que je pouvais ouvrir à cette heure de ma vie. J'avais toutes les raisons d'être impressionné par son regard braqué sur moi malgré les verres fumés qu'elle portait en pleine nuit, ce qui, de mon point de vue, l'enveloppait des pieds à la tête d'une deuxième nuit, prélude à d'excitantes illuminations.

J'entendais ton rire moqueur, Anna. Il suffit qu'une fille, faussement mystérieuse, daigne m'accorder une attention minimale pour que j'envoie promener d'une chiquenaude ton fantôme.

Ah, ce fantôme de quatre lettres! Je le promenais partout avec moi. Sa compagnie avait fini par me réduire à un tic : prononcer le nom d'Anna jusqu'à l'usure de ses lettres. Et quelles lettres : un grand A, deux n jumeaux et un deuxième a qui répète en plus petit le premier!

J'étais devenu l'homme qui prononce le nom d'Anna. Mon cas s'aggravait. Ce nom gagnait du terrain, dévorait les autres mots ou se combinait à eux. J'avais même couché sur le papier un *annalexique*. J'en avais laissé des extraits sur le répondeur d'Anna. J'espérais la convaincre ainsi de répondre à mes invitations. Ce soir-là, au Beau-Boeing, je guettais son arrivée en buvant une Mort Subite à la framboise. C'était mon septième rendez-vous. Anna n'était pas venue aux six précédents. Pour tromper mon attente, je parlais au fantôme de quatre lettres : «Te dire, Anna, te dire, ah! te dire, Anna parade qui passes dans ma vie sans me regarder, ah! te dire, Anna vague, te dire, te dire, Anna sanglot de parachute, ah! te dire, Anna catastrophe, Anna bulle qui éclates aux visages des passants et des revenants, te dire, Anna embargo, Anna iceberg, te dire...»

J'avais dû interrompre ma prière à Anna. LA fille s'était assise à ma table.

Mon espoir de voir apparaître Anna, un samedi soir, s'effondra d'un coup. Traduction : je venais de prendre la décision d'aimer LA fille, sans rechigner, sans marchander. L'aimer. L'aimer tout de suite, sans perdre une seconde. L'aimer parce que ne pas le faire aurait été une souffrance qui m'aurait démembré et éparpillé dans le fracas de la nuit. L'aimer parce que mon corps risquait de connaître le sort d'une marchandise périmée. L'aimer sans poser une seule question parce que s'interroger sur l'amour le détériore. Aimer, donc, la rangée de petites dents que deux lèvres d'un mauve suranné venaient de faire apparaître dans l'esquisse d'un sourire. Car cette fille, qui n'était décidément pas Anna, me souriait paisiblement.

Comment l'aborder? Comment trouver la porte d'entrée? Surtout, où sonner pour qu'elle m'ouvre et me fasse entrer chez elle? Je n'avais encore rien fait si ce n'est que je m'étais pétrifié devant la légèreté de son sourire à longue durée. La moindre erreur de ma part me renverrait à la case départ et j'en serais quitte pour me morfondre jusqu'à l'aube avec le fantôme d'Anna. Je retournai au verbe aimer et le fis glisser le plus discrètement possible sur le corps de la fille pour mieux enregistrer en détail le bonheur qui me tombait dessus. Elle était coiffée étrangement. Plus aucune fille, de nos jours, n'aurait osé se montrer en public avec un arrangement capillaire qui rappelait le personnage de Ginger de la série télévisée *Les Joyeux Naufragés*. Mais elle, si. J'en conclus qu'elle possédait un courage à toute épreuve. Elle était, heureusement, plus petite de taille que Ginger, ce qui me rassura. Je suis attiré par des corps ajustés à mes dimensions.

Je regardai de nouveau l'heure sur l'horloge. Deux minutes s'étaient écoulées depuis son apparition. Jusqu'à présent, tout s'était bien déroulé. À peine si l'un de nous avait bronché. J'ébauchai, envers un garçon qui passait, un geste que j'arrêtai net. Non, non, pas de précipitation. Un homme normal aurait déjà offert une «consommation», comme on le dit si bien sans le savoir. Pas moi. Je ne tomberais pas dans ce piège. Il fallait analyser la situation proprement. Elle s'était assise à ma table. Elle n'avait pas ouvert la bouche pour précéder son geste d'une parole de politesse ou d'une phrase qui établirait une forme de contrat entre les deux parties. Il n'y avait encore, entre nous, rien. Ce rien était un bien précieux. Un météore de granit qui scintillait dans ce bar de chrome, de verre et de contreplaqué, matériaux très à la mode, ces derniers temps, à Montréal. Pourquoi égratigner ce rien ? Attendons. Mais attendre ! N'avais-je pas, justement, trop attendu ? Attendre ne résumait-il pas ma tragédie personnelle ? Certes. Alors ? Pourquoi tergiverser ? Cette fille, cette femme, ne désirait-elle pas que je prenne les devants et lui adresse la parole ? Comment le savoir ?

Je fus pris d'un malaise. Je venais de prendre conscience que, absorbé par mes réflexions, je n'avais aucune idée du visage que je lui proposais. Lui avais-je offert un sourire pour répondre au sien ? Je n'arrivais pas à m'en souvenir. Chose certaine, je n'étais pas en train de le faire quand elle se détourna légèrement et me donna l'occasion de tomber amoureux aussi de son profil. Il fallait agir. N'était-elle pas sur le point de s'éjecter de sa chaise, dépitée par mon attitude ? Je plongeai. J'ouvris la bouche. Je m'entendis lui offrir une Mort Subite. Rien. Je récidivai. Rien. Elle n'avait pas eu le moindre tressaillement. Totalement insensible à mon offre, à ma voix, à ma présence, à mon amour, à mon naufrage. J'allongeai le bras et je la touchai. Elle sursauta. Elle ouvrit son sac, en sortit un bloc-notes et un crayon. Elle griffonna rapidement quelque chose qu'elle me donna à lire : «Je suis sourde-muette. Je te trouve provocant.»

J'en eus des larmes aux yeux. J'essayai de les retenir, de les retourner à leur source. Comment aurait-elle interprété ce liquide? J'ouvris la bouche pour m'exclamer : «Tu es sourde et muette. Ça ne se voit vraiment pas!» Je m'aperçus de ma bêtise. En souriant, elle me remit son crayon. J'avais à écrire, à mon tour, sur le petit bloc-notes. Je pensai commencer par : «Je m'appelle Christophe, j'ai 28 ans, je suis photographe...», puis je me ravisai et je penchai plutôt vers une question, genre : «Aimes-tu la Mort Subite à la framboise?» Mais j'en abandonnai l'idée très vite pour imaginer une phrase plus personnelle et, surtout, plus engageante. Elle avait écrit qu'elle me trouvait provocant. Il fallait me montrer à la hauteur. Je devais écrire une phrase qui exprimerait d'emblée mon amour pour elle (le plus simple aurait été d'écrire le très classique et toujours efficace «je t'aime»), mais j'avais peur que le mot amour ou ses dérivés la fasse déguerpir. Trop tard c'est inutile, trop tôt c'est incommodant. Mais étais-je certain de l'aimer? Faut-il connaître une personne pour affirmer en être amoureux? Que connaît-on d'une personne quand on en est amoureux? Si j'aime, je ne connais pas. Si je n'aime pas, j'ai tout mon temps pour connaître. Décidément, les premières paroles qu'on adresse à quelqu'un, couchées sur le papier, prennent une importance capitale. Finalement, j'écrivis : «Comment trouves-tu ce bar?», question à laquelle elle répondit : «Merveilleux car il te contient.» J'en fus renversé. Les larmes que je retenais plongèrent dans le vide de ce samedi soir.

Michèle – c'était son prénom – montrait une indéniable attirance pour ma personne. J'étais secoué.

Étranglé par la joie. Par la crainte aussi. Surtout par la crainte, car mes péripéties mexicaines m'incitaient à pressentir le pire lorsqu'un peu de lumière tremblotait au bout du tunnel de ma malchance. Mais j'avais décidé que ce samedi soir serait mémorable, qu'il serait le soir béni entre tous. Anna tout court, je congédiais ad vitam æternam ton fantôme. Je l'envoyais au diable. Michèle avait accepté mon invitation à terminer la soirée chez moi.

Dès que je la vis debout, au moment de quitter le Beau-Boeing, je fus déçu. Je n'avais vu, connu, aimé Michèle qu'assise en face de moi. Je ne l'avais même pas imaginée autrement. Une fois sur ses deux jambes, je la jugeai trop petite. Je me trouvai mesquin de porter pareil jugement sur une personne que j'avais décidé d'aimer de façon entière. Elle n'était pas trop petite. C'est moi qui manquais de grandeur. Pendant plus d'une heure, nous avions formé un couple assis, heureux, insouciant, échangeant des phrases enjouées sur un bloc-notes. Il fallait maintenant passer à une autre étape, non chercher des excuses pour retarder le cours normal des événements. Les proportions de Michèle étaient parfaites. Sa taille et sa démarche suscitaient l'envie de la protéger, de l'envelopper, de la défendre. Non, ce qui clochait, c'était son blouson de cuir, trop lourd, trop encombrant, comme appartenant à une autre époque ou à une autre histoire. Et puis, je n'étais pas dupe. Anna et moi avions exactement la même taille. Je devais m'habituer à sortir des sentiers battus. Anna ne devait plus me servir de mesure universelle. De toute façon, en traversant le carré Saint-Louis pour nous rendre sur l'avenue Coloniale où j'habitais, j'avais passé mon bras autour des épaules de

Michèle et une sensation exquise m'avait convaincu que j'étais l'homme le plus heureux du monde.

En ouvrant la porte de mon appartement, je sentis les premiers frissons de la fièvre. Une crise se préparait. Depuis mon retour du Mexique, je flottais dans un monde de rêves, d'hallucinations et de souvenirs. Tout ça à cause d'une méduse des Caraïbes qui m'avait brûlé la jambe, m'inoculant un poison inconnu de tous les médecins consultés. Il n'était pas question, ce soir-là, de retomber dans ces eaux troubles. Je refermai la porte, inquiet.

Michèle, avec une profusion de gestes et de mimiques, s'extasiait sur mon appartement que, personnellement, j'avais déclaré depuis longtemps zone sinistrée. L'été, les murs suintaient d'humidité. L'hiver, la peinture s'écaillait, tombait comme des pellicules dans l'air sec que surchauffaient des calorifères hors de contrôle. Le style éclaté de ma décoration intérieure était dû à la déflagration de ma production artistique. J'étais photographe. Et je persistais. Il y avait là une exposition de mes œuvres, en permanence et en chute libre, qui s'autodétruisaient sous la poussière et l'anonymat. Elles jonchaient les planchers, tapissaient les murs. J'avais eu, comme beaucoup d'artistes de la métropole, ma phase « escaliers et bornes-fontaines » que j'avais photographiés sous tous les angles, en toutes saisons, sous la pluie, sous la neige, à l'aube, au crépuscule. Tout cela donnait beaucoup de gris. Je préférais ma phase « Anna », plus rose, même si, avec le temps, elle m'apparaissait de plus en plus rouge. Michèle regardait avec gourmandise, agrandissait les yeux, ouvrait la bouche en oh et en ah. Ma vanité d'artiste la laissait libre de s'exclamer. Je la quittai pour aller à la salle de bains.

Un coup d'œil dans le miroir, au-dessus du lavabo, me confirmait que j'étais bel et bien sur le point d'entrer dans une phase de transformation : la sueur perlait sur mon front, mon regard se perdait dans une brume annonciatrice d'orage. J'avalai quatre aspirines, me lavai le visage à l'eau froide et allai retrouver Michèle devant une de mes œuvres en trois dimensions, en fait, la seule de ce genre. Elle me tendit son bloc-notes : « On dirait un manteau. » En prenant son stylo pour lui répondre, j'effleurai sa main. Mû par un instinct sauvage, je m'en emparai pour la porter à mes lèvres. Le parfum de sa peau me monta à la tête. Je m'appliquai pour pondre un commentaire sur ma première et, sûrement, dernière œuvre en trois dimensions : « C'était un manteau. Maintenant, c'est une sculpture. Enfin j'espère. Fouille dans la poche gauche du manteau. Il y a un petit texte qui complète le sens de l'œuvre. » Michèle, comme une enfant bien élevée, s'exécuta. Elle trouva le texte et le parcourut, un sourire dans les yeux :

RESTITUTION D'UNE CHOSE JAMAIS ARRIVÉE

Un soir, j'ai suivi une fille qui portait le même manteau que toi à l'époque où je rêvais que nous dansions habillés seulement de notre sueur. Cette fille, je l'ai coincée au fond d'une ruelle près de la rue Duluth. Lui arracher son manteau n'a fait aucune flaque sur l'asphalte brisé d'un hiver précoce. Manteau de vinyle, deux heures du matin, pas de lune, pas d'espoir, pas de chat. Manteau noir, manches d'écailles, doublure rose. Je l'ai fait cuire. Je l'ai fait bouillir. Je l'ai flanqué dehors entre deux chaises sur ma galerie. Il a ri, il a craqué. Il est devenu incontournable : un tas d'amour. J'en ai fait une œuvre à névrose. Il est exposé dans mon salon sous le thème « Restitution d'une

chose jamais arrivée». Il pue. Je le tolère. Voilà. Que faire ? Je
me fais du café et j'évite de te dessiner sous mes yeux fermés.
J'ai peur que mes canines me traversent l'esprit. J'ai en horreur
la rue Prince-Arthur évanouie sous les touristes de banlieue. Je
ne supporte plus ni l'odeur des brochettes ni même le restaurant
Chopin-Copain où tu m'as fait connaître la choucroute et les
crêpes fourrées aux patates.

Sa lecture terminée, Michèle remit sagement la
feuille dans la poche du manteau-sculpture. Je voulus
lui enlever son blouson, mais elle se dégagea nerveu-
sement. Un petit silence s'installa. Petit mais incisif.
Michèle m'écrivit un mot: «As-tu vraiment suivi une
fille pour lui arracher son manteau?» Je répondis:
«Pure invention. De l'art, tout ça.» Michèle me sourit.
Puis elle me fit signe qu'elle avait besoin d'aller à la
salle de bains. Seul, je me déclarai idiot. Pourquoi lui
avoir fait lire ça? Pure prétention. Poésie du désespoir.
J'avais écrit ce texte en pleine crise d'Anna bourrasque.
Quel désir morbide m'avait poussé à afficher ma pénurie
d'amour dans ses aspects les plus grotesques? L'œuvre,
sans commentaire, dégoulinait de misère. Je voulais me
mordre. Comment avais-je pu vivre avec cette sculpture
atroce, prétentieuse, malsaine? Comment avais-je pu
tolérer ce monstre? Je regardai froidement *Restitution*
d'une chose jamais arrivée. J'eus une illumination: cette
chose, camouflée en art, bouffie jusqu'au troisième de-
gré de l'abstraction, pantelante, pataugeant dans l'insi-
gnifiance, c'était moi. Moi: épave que l'ouragan Anna
avait recrachée. Je m'en emparai et la lançai contre le
mur de la cuisine. Le manteau, enduit de paraffine et
de *jelly beans,* explosa en faisant tomber mon assortiment
d'épices, mon thermomètre à yogourt et l'horloge que

Xénophon m'avait offerte. Tout s'était fait dans le temps de le dire et avait produit, au bout du compte, un silence épais et sale. Je me tournai vers la salle de bains. Michèle se tenait dans le cadre de la porte. Elle avait assisté à ma crise. Je n'osai pas aller vers elle.

Michèle ne me demanda rien. Elle n'exigea aucune explication. Elle ne montra aucun signe d'étonnement devant mon geste de destruction. Elle demeurait dans le cadre de la porte et me contemplait. Une vague d'amour m'ébranla. Je l'aimais, je l'aimais jusqu'à déborder de mes vêtements. Était-ce le moment? Assurément. Mais j'ouvris le placard, pris un balai et fis un tas avec les débris de *Restitution d'une chose jamais arrivée*. Mal à l'aise, je demeurais accroupi devant la poubelle où mon œuvre, démembrée, reposait. Finalement, je risquai un regard vers elle. Michèle n'était plus dans la cuisine. J'inspectai le salon, la salle de bains: envolée. Elle avait quitté l'appartement en douce, emportant l'air avec elle. J'étouffais. Mais je repris mon souffle: j'aperçus le bloc-notes que Michèle avait laissé sur une chaise. Réfugié sous la table de la cuisine, je le serrai contre mon cœur.

Je tournai une à une les pages du bloc-notes. Je pris mon temps. En relisant ces phrases, ce ping-pong amoureux, je savourais notre jeune passé commun. Des larmes brouillaient ma lecture. J'avais été heureux avec une femme. J'en avais, dans les mains, la preuve. Plus je tournais les pages et me rapprochais du moment présent, plus je ressentais le désespoir d'un jeune homme pelotonné sous la table de sa cuisine désertée par l'amour. «As-tu vraiment suivi une fille pour lui arracher son manteau?» Je relus la dernière phrase de Michèle. Je la prononçai plusieurs fois à mi-voix pour en savourer toutes les nuances. Quel ravissement de donner ainsi naissance à une voix aimée au centre même de la sienne! Il y avait tant de choses insoupçonnées dans ces quelques mots anodins. Tant de rires cristallins, tant de lumière, tant d'intonations mélodieuses. Comment avait-elle pu faire tenir autant de matière amoureuse en si peu d'espace?

Je tournai la dernière page. Il n'y avait rien. Michèle m'avait quitté pour de bon. Sans écho.

Je m'aplatis sur le plancher. Je fixai mon attention sur le dessous de la table, seul ciel encore disponible. J'observai les taches d'humidité, les nœuds du bois, les résidus séchés de colle blanche. Des figures apparaissaient, tanguaient. Des ombres passaient. La fièvre m'enveloppait. Le fantôme de quatre lettres souriait. Je ne coucherais jamais avec une autre fille qu'Anna, c'était entendu. Pourquoi m'entêter à ramener des inconnues chez moi? Ah, Anna parachute, Anna coquelicot, un jour, tu ne pourras qu'applaudir à mon entêtement. Ah, Anna barque, comment ai-je pu détruire *Restitution d'une chose jamais arrivée*? Comment? Un relent de Mort Subite à la framboise me monta aux lèvres. Je fermai les yeux. Ma tête tournait. Le plancher voguait. Je partis à la dérive, sous la table de la cuisine, en me repassant les films «Anna», toute la série, sur l'écran de mes yeux à guichets fermés.

2

LA PHOTO N° 36 DU ROULEAU N° 1

Je me revoyais développer Anna en noir et blanc. Son visage, son corps, surgissaient alors du bain de révélateur comme une plaie. Je guettais l'apparition de son fantôme ondulé par la loupe que faisait l'eau. Quand elle émergeait ainsi des limbes, j'avais l'image d'une Ophélie qui, contre tout espoir, revenait à la vie. Je m'emparais de la photo comme d'un nouveau-né encore mouillé par les eaux de sa mère, la faisais dégoutter, tête en bas, puis l'épinglais sur une corde pour la faire sécher. Tard dans la nuit, enivré par les émanations des produits chimiques, les seules que mes allergies supportent, je m'extasiais sur l'écho d'Anna qui, de photo en photo, loin de se perdre dans la pénombre, venait se fixer dans mes pupilles atrocement dilatées. Quand je sortais de la chambre noire, l'amour m'avait brûlé les doigts, les lèvres, les yeux.

Pourquoi m'avait-elle annoncé, le soir de mes vingt-sept ans, qu'elle ne pouvait m'offrir meilleur cadeau d'anniversaire que ma liberté? Elle avait décidé de me mettre à la porte, m'avait donné une semaine pour ramasser mes «œuvres», les empaqueter, me dénicher un autre logis et disparaître de sa vie. J'étais devenu un appendice qu'elle venait de trancher d'un coup sec. Je quittai donc, assommé et sectionné, le deuxième étage du boulevard Saint-Joseph, dis adieu, en enlaçant son tronc, à Fred, l'immense érable qui léchait, les soirs de vent, les fenêtres de notre salon et allai camper dans la cuisine de mon ami Xénophon, le temps de trouver un appartement dans les annonces classées du *Journal de Montréal*.

Ce ne fut qu'une fois installé avenue Coloniale, mes boîtes éventrées, leur contenu éparpillé à la grandeur des planchers, que je pus mesurer, avec l'exactitude que procure la sensation d'être abandonné, le cratère creusé par la décision d'Anna. J'ai barboté dans ce trou comme un insecte tombé sur le dos. Dès qu'elle entendait ma voix au téléphone, elle raccrochait avec l'efficacité d'un marteau qui enfonce son clou d'un seul coup. J'ai été K.-O. pendant des jours.

Quand on me livra enfin le frigo d'occasion acheté boulevard Saint-Laurent, je me précipitai chez Xénophon récupérer mes rouleaux de film. Je commençai alors à me comporter comme un boulimique qui, de jour ou de nuit, ouvre la porte de son frigo et contemple, avec dans les yeux plus de salive que de larmes, la nourriture qu'il a entassée. J'avais aligné dans le congélateur les petits étuis en plastique noir contenant les 1080 poses (30 × 36) de ma réserve «Anna», constituée au fil des ans. Je pratiquais de longues stations dans l'éclat jaune que l'ampoule du frigo jetait sur le monde et inspectais le régiment miniature de mon amour tenu au garde-à-vous. Je développais les films de ma collection avec l'anxiété du morphinomane qui voit diminuer son stock à chaque injection. Anna dose, le trajet que je te faisais emprunter, de la chambre froide à la chambre noire, prenait tantôt l'allure d'un cortège funèbre transportant les urnes de mon amour, tantôt celle d'une expédition archéologique exhumant du sable, à petits coups prudents de pioche, la statue gigantesque d'une déesse mystérieuse. Mon appartement, rouleau après rouleau, photo après photo, de la plus récente à la plus ancienne, devenait ton mausolée. Pendant six mois, je me suis éreinté, saigné, diminué à vouloir t'agrandir. Seul le prix exorbitant du papier photographique et l'état exsangue de mes finances ont pu mettre un frein à l'expansion de tes dimensions.

Il se produisit un phénomène étrange avec la photo n° 36 du rouleau n° 1. L'émulsion, encore plongée dans le bac à solutions, se mit à scintiller. Une tache apparut sur le papier, lança un dernier éclair avant de dessiner les contours de ton manteau. Finalement, la photo entière émergea du blanc et tu apparus, Anna phare. Tes yeux accomplirent alors un léger travelling et s'arrêtèrent, pile, sur les miens. Ils respiraient, ils gonflaient, ils louchaient, ils sortaient de leurs orbites. Je sortis en catastrophe de la chambre noire et courus me réfugier sous ma couette.

Je ne dormis pas de la nuit, raide comme un glaçon en état de choc qui, n'arrivant pas à fondre, ne peut accéder au monde liquide de l'oubli. Je me levai aux petites heures du matin, retournai dans la chambre noire, décidé à mettre fin à la galopade de mon angoisse. Tout reposait dans la normalité la plus rassurante : objets, odeurs et, bien sûr, toi, Anna regard. Je retournai, nu, frissonnant, mais soulagé, dans mon lit avec ta photo. Le soleil entrait par tranches poudreuses à travers les stores vénitiens. Les bruits du jour me parvenaient de la ruelle. Je sombrai enfin dans le sommeil. Il était midi quand j'ouvris les yeux. Je tenais toujours ta photo dans la main. Je me fis un café en vitesse et, le cœur aux aguets, j'examinai l'ultime trace de ton inquiétante photogénie. Ton regard, qui m'avait tant effrayé la veille, me remplissait à présent de nostalgie. Je bus d'un trait une deuxième tasse pour chasser l'envie de pleurer. Je retournai à tes yeux. À ce qu'ils regardaient.

C'était il y a dix ans. Je me rappelais tout. Nous étions sur la plage, à Percé. Il pleuvait doucement. À peine si ta peau, Anna, s'en rendait compte. La lumière tamisée du soleil arrondissait l'air. Je ne pus résister à l'envie de sortir mon Canon qui, depuis notre départ de Montréal, trois jours plus tôt, n'attendait que le moment propice pour connaître un premier contact avec ton épiderme. Nerveux. Très nerveux j'étais. À croire que je n'avais jamais tenu en main un appareil photo. Toi aussi, Anna, tu étais excitée. Pour d'autres raisons. C'était la première fois que tu voyais la mer. Tu n'avais d'yeux que pour elle. Tu avais enlevé tes *runnings* et, malgré la fraîcheur d'un jour qui déclinait derrière des nuages toujours plus nombreux, tu frôlais le bord mousseux des vagues, effilochant leur frange de tes pas rapides et gais. Une enfant. Sans gêne, sans peur. Seize ans de beauté qui gambadaient dans le bruit des vagues et des rires.

Je t'avais photographiée sans même que tu t'en aperçoives. J'appuyais sur le déclencheur comme si chaque clic sortait de mon cœur. Toi, Anna peau, tu accomplissais tous les gestes clichés du bonheur: sautiller, ramasser un caillou, le faire ricocher sur l'océan, secouer les cheveux dans le vent, respirer à s'en fendre les côtes, offrir vaillamment le front aux embruns. Je prenais chacun de tes gestes pour une pose que seul l'amour pouvait faire naître. Tu étais un poème en liberté. La pluie, si fine au début, s'était mise à tomber dru. Tu étais partie en vitesse te réfugier dans la petite tente que nous venions de monter un peu en retrait de la plage. J'allais te rejoindre quand tu en ressortis, vêtue de ton manteau de vinyle. Tu repartis vers la mer sans m'accorder un regard. Je t'appelai. Tu te retournas vers moi. Clic ! Je venais de prendre la photo n° 36 du rouleau n° 1.

Anna, ce soir-là, dans notre petite tente bleue, je t'avais dit que la plage de Percé était infestée de chauves-souris vampires. Tu avais rapproché ton sac de couchage du mien. Tu étais bleue et belle dans la lumière dansante du fanal. Je repensais aux derniers jours : nos randonnées à bicyclette le long des petits villages, nos feux de camp improvisés, nos discussions enthousiastes sur tes projets de comédienne et mes projets de photographe. Que la vie avait raison d'exister ! Encouragé par cette pensée, je me glissai dans ton sac de couchage. Ton corps était mouillé. Il sentait la sueur.

— Anna, tu sais à quoi je pense ?

— Oui.

— À quoi ?

— Tu veux qu'on le fasse. Pourquoi trembles-tu ?

— C'est la première fois que je me trouve si près de toi.

— Je ne t'aime pas.

— Anna, je vais exploser si je ne le fais pas.

— Laisse-moi, Christophe ! Retourne dans ton sac de couchage.

— Je ferai tout, tout, tout ce que tu voudras si tu me...

— Tout ce que je voudrai ?

— Tout !

— Tu n'es pas sérieux.

— Je ferai tout ce que tu voudras, je te le jure.

— Mange ta bicyclette.

— Quoi?

— Mange ta bicyclette. Après, nous le ferons.

— Tu es folle!

— Oui.

Anna zoo, cette nuit-là, j'avais démantibulé ma bicyclette à coups de pierre. Je claquais des dents. Le vent était méchant, mais moins que toi. Je t'entendais rire derrière moi. Tu m'éclairais avec ta lampe de poche qui jetait sur mon acte d'amour une lumière froide que seul le vol suicidaire des papillons tamisait de compréhension. Ce n'était pas le massacre de ma bicyclette (je l'appelais Éva, c'était une Peugeot, je lui parlais souvent) qui me brisait le cœur. Non! C'était tes paroles. Comme si c'était la chose la plus normale du monde, tu me racontais les détails de ton dépucelage. Moi qui t'avais crue vierge et naïve! J'aurais voulu que la côte de la Gaspésie disparaisse dans un raz-de-marée, emportant avec elle ta voix et le nom de Lâm que tu ne cessais de répéter. Lâm! Pourquoi, Anna, prenais-tu tant de plaisir à prononcer ce nom?

Lâm.

3

LA LANGUE DU PETIT LÂM

Tes parents, m'as-tu alors raconté, avaient décidé de lui servir de famille d'accueil. Au Viêtnam, Lâm avait assisté au massacre de sa famille. La première fois que tu l'avais vu, il n'était qu'un petit animal traqué. Un survivant. Il sursautait à chaque bruit, ne riait jamais, regardait pendant des heures le reposant et désolant paysage de l'avenue de l'Épée derrière la fenêtre du salon. Dès que la nuit tombait, il s'agitait, les yeux inquiets. Ta mère avait choisi de lui inculquer, à petites doses, un français de dépanneur. Toi, Anna, tu boudais, le visage caché derrière ton livre de grammaire. Pour rien au monde tu n'aurais permis que ta mère l'utilise pour les leçons particulières de son petit protégé. Tu n'en voulais pas de ce Lâm! Ce n'était pas le genre de petit frère que tu avais commandé. Il ne jouait pas, il ne parlait pas, il bougeait à peine. Tout le monde était autour de lui à le caresser, à lui offrir des bonbons, des vêtements, des jouets. Ta vie était gâchée.

Tout changea une nuit d'hiver. Le vent sifflait, la neige se collait aux fenêtres, s'amoncelait contre les portes, avalait l'escalier et la galerie de la maison. Pour la dixième fois, ta mère vous disait d'aller vous coucher. Toi et Lâm aviez passé la journée à vous rouler dans la neige, à vous lancer des balles, à jouer au vivant qu'on enterre, au mort qui se déterre. Lâm, méconnaissable dans sa tenue d'hiver, gonflé comme un astronaute, avait crevé la bulle qu'il maintenait autour de lui pour se protéger. C'était la première fois que vous vous amusiez ensemble. Lâm criait, gesticulait, lançait dans la neige nouvelle son vietnamien frissonnant qu'un français hachuré ramenait au sol.

Ta mère s'était finalement fâchée et d'une claque bien placée t'avait fait comprendre que l'heure du lit avait sonné. Lâm déguerpit dans sa chambre comme un écureuil à l'approche d'un pit-bull. Quelle étrange journée! Une tempête de neige, un nouvel ami et cette claque, la première que ta mère t'ait jamais donnée. Cette journée fut extraordinaire. La nuit qui suivit ne le fut pas moins.

D'abord tu rêvas. Tu te trouvais sur un navire. Il se mit à rétrécir pour ne devenir qu'un radeau. Tu étais ballottée par des vagues vertes. Pour ne plus les voir, tu t'étais couchée sur le dos et fixais le ciel blanc. Le soleil t'aveuglait. Tu te sentais perdue. Tu commençais à disparaître quand un papillon se posa sur ton nez, le chatouillant. Tu te réveillas. Tu sentis quelque chose de mouillé entre tes jambes. C'était la langue du petit Lâm. Anna léthargie, pourquoi ne t'es-tu pas mise à crier au voleur et à donner des coups de pieds? Tu étais vierge, naïve, innocente, ignorante, à l'aube du plaisir, tu jouais dans la neige, tu mangeais des bonbons, tes jeunes seins ne portaient pas de soutien-gorge, bref tu étais une enfant gâtée, rieuse, saine, belle, et voilà qu'un petit bout de chair te transformait en femme voluptueuse, offerte, consentante!

Le lendemain, jamais journée ne t'avait paru plus lente. Pour l'aider à finir, tu respirais plus vite, tu parlais plus vite, tu marchais plus vite, tu lavais la vaisselle du souper plus vite, tu faisais tes devoirs plus vite pour pouvoir enfin annoncer: «C'est le temps d'aller au lit!» Lâm ne tarda pas à te retrouver. Plus audacieux que la veille, il te fit émettre des sons, jusque-là nouveaux pour toi, que tu étouffais sous ton oreiller. Après une semaine de patientes caresses, tu étais prête à l'accueillir en entier.

Le récit d'Anna se perdait dans le bruit du ressac et le clapotement de l'eau écumeuse, évanouie sur la plage. L'aube pointait. Je distinguais sur le sable trempé les déchets rejetés par la nuit: coquillages vides, crabes ahuris, ventres dévorés de poissons, morceaux d'épaves. L'odeur salée du jour naissant montait jusqu'à notre modeste campement. Blême, les yeux rouges, j'avais l'impression d'être un vautour pataugeant dans les restes de sa victime. J'avais réussi, dans un ultime effort, à avaler un petit bout d'Éva: un morceau de la selle. Je ne pouvais faire plus. Je n'étais qu'un amoureux déboussolé, rêvant de s'unir à la plus charmante et ondulante jeune fille de la terre. Dans la clarté de l'aube, tes yeux brillaient. Tu irradiais. Mes os, ma moelle étaient atteints et produisaient, à un rythme effréné, les globules multicolores du désir qui allaient pétiller dans mes veines. Ne pouvais-tu pas trouver beau, Anna drap, ce visage que tu pointais de ta lampe de poche dont la lumière, noyée à présent dans celle du jour, suffoquait comme un poisson jeté hors de l'eau? Sûrement pas. Tu t'étais mise à parler du sexe de Lâm, de son goût de pétale, de sa capacité à se glisser en toi comme un minuscule glaçon de fraîcheur qui se transformait, par un entêtement tout en douceur, en une pile électrique capable de te faire léviter! Ta voix prenait des inflexions infectées de miel qui donnaient à tes mots un pouvoir d'évocation cruel. J'allais m'enfuir pour échapper à cette torture quand tu éclatas en sanglots. Je te serrai dans mes bras. Tu pleurais comme une enfant. Lovée contre moi, brûlante malgré la fraîcheur humide du matin, tu repris ton récit dont tes pleurs m'avaient fait deviner, avec joie, la triste fin.

Toi et Lâm ne vous contentiez plus de vous gaver de plaisir sous les draps. Un de vos jeux préférés était de faire l'amour dans les endroits les moins propices aux caresses et les plus susceptibles de les condamner. Il n'y avait pas de limites à vos espiègleries érotiques. Vous avez ainsi connu la jouissance dans des parcs, à l'école, à l'église, dans les grands magasins. Mais ce qui devait arriver arriva, et lorsque tu me racontas que ta mère vous avait surpris sous la galerie de la maison, un samedi matin, dans une position des plus compromettantes et des plus acrobatiques, je ne pus retenir un cri de victoire qui, une fois exprimé, me rappela le triomphal «lance et compte» des commentateurs de hockey. La partie était terminée et vous l'aviez bel et bien perdue. Lâm disparut de tes jambes, de ton lit, de ta vue, de ta vie, de Montréal aussi vite qu'il y était apparu. On ne reparla plus jamais de lui. Sauf que tu ne pus oublier le goût de pétale qu'il t'avait, à vif, incrusté dans la chair. Tu attendais le jour où le destin, capricieux mais honnête, espérais-tu, vous ferait tomber, au hasard d'une promenade ou d'une sortie au cinéma, dans les bras l'un de l'autre, vous fusionnant pour la vie par l'opération foudroyante d'un baiser. Ton histoire terminée, tu levas tes yeux mouillés vers moi et me demandas naïvement, avec un petit sourire en coin, si une fille comme toi pouvait m'intéresser. Le souffle me manqua et j'allai cueillir mon oxygène entre tes lèvres que tu me laissas ouvrir aux dimensions de mon appétit. Mais tu te mis à rire et t'enfuis sans demander la suite. J'enterrai dans le sable ma bicyclette, sacrifiée inutilement.

4

AUTUMN IN NEW YORK,
THAT BRINGS THE PROMISES OF NEW LOVE...

Le jour où je me suis abîmé dans la contemplation de ton regard, celui de la photo n° 36 du rouleau n° 1, j'eus l'idée de te consacrer un musée. Sur le coup, je jetai en vrac, dans un carnet, les idées qui se pressaient contre mon front. Parmi les acquisitions essentielles au musée d'Anna contemporaine dont j'ébauchais les plans dans la fébrilité, celle du manteau que tu avais porté sur la plage de Percé venait incontestablement en tête de liste. Il me le fallait. Mon salon, baptisé pour les circonstances « Salle du manteau de vinyle », l'accueillerait glorieusement dans ses murs. Un projet de cambriolage s'imposa naturellement. Le soir même, il devait être mis à exécution.

Fred ne dormait pas malgré l'heure tardive. L'érable me regardait avec toute la rugosité de son écorce et toute l'insouciance de ses feuilles. Il avait l'air de me dire : « Pauvre con. » Le boulevard Saint-Joseph, où habitait Anna, était désert. Une auto, de temps en temps, filait, aspirée par une série de feux verts qui se perdaient jusqu'au mont Royal. Je m'étais vêtu d'un pantalon déchiré aux fesses – le seul de couleur noire que j'avais pu dénicher – et d'un chandail à col roulé taché de peinture qui me serrait la jugulaire. Je n'avais pas pris la peine de porter des gants, trouvant du réconfort dans l'idée de laisser traîner, dans l'univers d'Anna écho, mes empreintes digitales. Pour me donner du courage, je parlais à Fred. Je lui expliquais que, si l'amour donne des ailes, le désespoir les arrache. Anna ne m'avait jamais aimé. C'était son droit et ma condamnation. Je n'avais jamais accepté que le lendemain de mon expulsion, Anna n'ait rien trouvé de mieux à faire que de prendre des cours de parachutisme. Elle me larguait comme un lest vulgaire, puis s'envoyait en l'air. Moi, je dégringolais en chute libre. Durant les deux années que nous avions passées sous le même toit, ici même, Anna avait allumé un incendie. Je brûlais en essuyant la vaisselle, en faisant le marché de la semaine, en tapant son CV pour ses incessantes demandes d'audition. Tout ce qu'elle avait touché, remué, imprégné de ses doigts, son regard, son parfum me causaient des brûlures d'autant plus vives qu'elles étaient imprévisibles. Découvrir un de ses cheveux dans la sauce à spaghetti en rehaussait le goût piquant. Je marmonnais tout cela à Fred qui m'écoutait sans broncher. Quand j'eus fini, je levai la tête vers ses plus hautes branches pour évaluer les risques de mon escalade jusqu'à la fenêtre du salon, au troisième étage. Anna était sans doute en train de rêver. Un simple mur de briques me séparait d'elle. M'emparer de son manteau démodé au lieu de la kidnapper, elle et son rêve, m'apparut une piètre consolation et mon projet de musée d'Anna contemporaine se dégonfla sur le coup. Fred me redonna du «pauvre con» et, piteux, je retournai sur mes pas.

Je n'en avais pas fait trois que j'entendis le rire d'Anna. L'objet de ma quête et le sujet de toutes mes conversations riait à gorge déployée à trois heures dix-sept du matin, au coin de la rue Boyer et du boulevard

Saint-Joseph! J'allai me cacher derrière Fred, guettant l'apparition d'Anna. Un couple tourna le coin : un homme et une femme. Celle-ci n'était pas Anna mais elle portait son manteau, celui-là même dont je voulais m'emparer pour son musée. Je plantai mes ongles dans l'écorce de Fred. Ma consternation s'infiltra dans sa sève, grimpa dans ses branches, décrocha les dernières feuilles rouges qu'il lui restait. Qui étaient cet homme et cette femme ? Des amis d'Anna ? Ils passèrent devant Fred. Je les vis disparaître dans l'immeuble. Quelques instants plus tard, la fenêtre du salon d'Anna, au troisième étage, s'éclaira.

Je me retrouvai agrippé aux branches de Fred. Du sang dégoulinait sur mon front. J'avais dû me blesser pendant mon escalade. En voulant m'essuyer, j'étendis le sang sur tout mon visage. Fred ne put s'empêcher de me redonner du «pauvre con». Je m'en moquais, trop occupé à atteindre la branche qui donnait sur la fenêtre du salon. Le rideau était entrouvert. Le souffle court, je jetai un coup d'œil. Les deux inconnus aperçus sur le trottoir dansaient, enlacés. Je collai l'oreille sur la vitre de la fenêtre et reconnus, avec un tressaillement, *Don't be that way* chantée par Ella Fitzgerald et Louis Armstrong. C'était la première chanson d'un disque que j'avais offert à Anna. La femme avait enlevé le manteau d'Anna et, mes yeux s'étant habitués à la pénombre, je constatai qu'elle portait une robe qui lui appartenait aussi. Des idées folles commençaient à m'envahir : Anna n'était plus qu'un paquet de membres coupés à la scie, entassés au fond d'un sac de plastique Glad, jeté dans un dépotoir de banlieue. J'avais sous les yeux ses meurtriers. Je tentai de me raisonner : mais non, Anna avait simplement loué son appartement. Elle était en voyage. Peut-être tournait-elle un film, une pub, en Europe ou même en Australie. Sans arriver vraiment à me rassurer, je continuais à observer ce couple qui dansait à présent sur l'air de *They all laughed*. Ils s'embrassaient avec fougue. L'homme se trémoussait, collant ses cuisses sur celles de sa partenaire. Ella Fitzgerald entama la troisième plage du disque, *Autumn in New York*, ma préférée. Sa voix me plongea dans une étouffante nostalgie, m'amollit. J'étais au cinéma, des larmes allaient venir, l'amour triomphait, ils s'embrassaient voracement, leurs mains voyageaient sous leurs vêtements, leurs corps se moulaient à la voix profonde, charnelle, qui chantait *Autumn in New York, that brings the promises of new love...*, le sang perlait sur mon front blessé, mon col roulé m'étranglait. C'est alors que la femme se détacha du baiser auquel elle s'abandonnait. Elle disparut de mon champ de vision. La musique cessa, puis reprit. Je compris qu'elle venait de changer de disque.

C'était encore une voix de chanteuse, mais celle-ci lançait des notes qu'on imaginait sorties d'une paire de lèvres miniatures. Les mots prenaient la forme de fines aiguilles de glace fondant au contact de l'air. Du vietnamien. J'avais suffisamment fréquenté les restaurants à combinaisons A B C (soupe tonkinoise, riz aux crevettes, rouleau impérial, thé au jasmin) de la rue Sainte-Catherine pour être en mesure de reconnaître les hits du palmarès asiatique. La femme revint en dansant, les bras en l'air, avec des gestes saccadés et menus, comme des brindilles qu'on casse. L'homme s'était assis sur le plancher et contemplait avec ravissement sa compagne dont les mouvements devenaient lascifs. Ses longs cheveux blonds ressemblaient aux tiens. J'avais l'impression de reluquer ton corps souple et invitant. Mon trouble s'aggrava quand la femme enleva ses chaussures et les lança en l'air. L'homme en ramassa une pour la renifler, ce qui les fit tous les deux pouffer de rire. Puis la femme fit glisser ses bas. Elle les retira comme on enlève une pelure d'un fruit savoureux. Je retins mon souffle quand elle esquissa un geste élégant vers la fermeture éclair de sa robe. Combien de fois avais-je imaginé que mes mains accomplissaient ce même geste? La femme s'était retournée pour exhiber le travail de son dos. Il émergeait, nu, délivré du carcan du vêtement qui bâillait nonchalamment sur ses épaules comme deux ailes à moitié déployées. L'ondulation serpentine qu'elle imprimait à son dos pour faire tomber la robe sur ses lombes s'harmonisait avec la musique qui venait de ralentir son tempo. Une mélopée s'étirait, doublée par la plainte langoureuse d'une flûte qui vrillait ses notes dans mes sens excités. Les omoplates de la femme saillaient, tanguaient au gré des coups de reins, mettant en évidence l'élasticité de sa peau à laquelle la douce pénombre du salon ajoutait une teinte d'acajou frotté avec amour. La femme s'immobilisa, étira les bras, puis les ramena brusquement vers sa robe, ramassée sur la chute de ses reins, qu'elle poussa jusqu'à faire apparaître la naissance des fesses. L'homme lança un cri d'encouragement admiratif qui me troubla. La robe glissa, par saccades, dévoilant deux fesses rondes et fermes. L'homme applaudit, siffla et cria à la femme de se tourner vers lui. Mais celle-ci faisait languir tout autant son partenaire que le voyeur que j'étais devenu. Elle se dandinait sur place, tournait un peu à gauche, un peu à droite, ne dévoilant rien de l'essentiel. Puis, dans un geste théâtral, elle porta une main à ses cheveux et d'un coup les arracha: une perruque! Je n'avais pas encore absorbé le choc de cette transformation éclair qu'un second me fit perdre l'équilibre et je tombai : la femme s'était retournée et avait exhibé les attributs d'un homme.

Fred me rattrapa miraculeusement deux branches plus bas. Je me redressai et, grimpant d'une branche à l'autre, je revins coller mon visage rouge contre la fenêtre. Des questions m'avaient rempli la tête pendant qu'elle pendait dans le vide : qui étaient ces deux hommes ? Un couple d'anthropophages ? Avaient-ils dépecé ma tendre Anna et se livraient-ils à ces bacchanales douteuses pour mieux la digérer ? Dans mon affolement, j'ébauchais les pires scénarios.

De retour à mon poste d'observation, j'entendis ton rire. De nouveau ! C'était bien la preuve qu'ils t'avaient mangée ! Tu remontais de leur œsophage sous forme de gaz gastrique, ajoutant à leur rire démentiel le pétillement clair du tien. Ils avaient remis le premier disque et j'entendais, le cœur foudroyé, notre chanson fétiche *Let's call the whole thing off*. L'homme nu, assis, regardait à son tour l'autre s'exécuter. Sur des paroles sacrées, que nous avions fredonnées des centaines de fois, il reprenait ce révoltant strip-tease. L'homme avait déjà enlevé les souliers, les chaussettes, le veston, la cravate et déboutonnait maintenant, avec gaucherie, la chemise.

J'eus honte. Plutôt que d'assouvir ma vengeance, je demeurais dans la peau d'un voyeur et attendais que les vêtements tombent un à un. Quelque chose apaisait ma fureur, m'obligeait à assister à ce rituel jusqu'au bout. Quelque chose orientait mon regard vers cet homme qui venait de se retourner pour enlever sa chemise déboutonnée. Il reproduisait les gestes que son partenaire avait accomplis plus tôt mais avec moins d'élégance ou plus de nervosité. Le dos dénudé, il s'appliqua à retirer le ceinturon de cuir de son pantalon et le fit passer entre ses jambes dans un va-et-vient suggestif avant de s'en débarrasser. Il descendit la fermeture éclair de son pantalon qui tomba à ses pieds, dévoilant un boxer à rayures bleues, identique à celui que j'avais perdu ! L'homme se retourna. D'un violent coup de tête, je fracassai la vitre et me retrouvai dans le salon. Je me plantai, dégoulinant de verre, devant Anna que je venais de reconnaître dans l'homme au boxer !

Mon arrivée rocambolesque, bruyante et imprévue déclencha des cris de frayeur. Moi-même, fortement ébranlé, confus, blessé, sautais sur place avec des spasmes de ressort, puis tentais de m'approcher d'Anna, réfugiée dans les bras de l'homme qui me lançait au visage des mots inconnus, plus aiguisés que des couteaux de boucherie. J'étais déchiré entre ma joie d'avoir retrouvé Anna intacte et ma consternation de l'avoir retrouvée dans un boxer avec un autre homme. Mes propres hurlements ne faisaient qu'ajouter à la confusion, enterrant les vocalises finales de Louis Armstrong et d'Ella Fitzgerald : *You like potato, I like potaaato !* Dans l'énervement, Anna avait fait tomber sa perruque aux cheveux noirs et courts. L'apparition de ses cheveux blonds, qui explosèrent et allèrent s'échouer sur le bord de ses seins nus, me cloua sur le tapis. J'avais beau crier mon nom, c'était peine perdue, Anna ne semblait pas me reconnaître. Je pris la fuite mais, avant d'enjamber le rebord de la fenêtre, je m'emparai de son manteau qui traînait sur le plancher. Je disparus dans la nuit.

Le «pauvre con» de Fred, qui me vit dégringoler, toujours tête en bas, résonnait encore dans mes oreilles quand j'atterris sur le trottoir. Je repris mon souffle à la hauteur de la rue Saint-Denis. Je n'avais pas fait deux coins de rue en direction du carré Saint-Louis que je vis venir vers moi un groupe de quatre individus. Ils portaient de longs manteaux sombres et de larges chapeaux démodés. Je distinguais mal leurs visages mais ce que je pouvais en voir n'avait rien pour me rassurer. On aurait dit des morts vivants. M'ayant aperçu, ils se rapprochèrent très vite et s'immobilisèrent à deux mètres de moi. Je n'osai pas bouger. Le plus petit rota. Tous émirent un rire gras. Je pris timidement la décision de rire avec eux, question de sympathiser. Mauvaise décision. Ils cessèrent de rire. Ramassant mes dernières forces, je déguerpis. Ils se précipitèrent sur mes traces comme une horde de chiens enragés derrière un lièvre blessé. Je bifurquai et traversai la rue. Je pensais avoir une chance de les semer en m'engouffrant dans la cour intérieure d'un immeuble, mais ma course prit fin devant un mur de briques dont j'amorçai l'escalade. En vain. Ils me saisirent par la cheville et me firent tomber. Je me retrouvai au sol encerclé par huit jambes. Je me flanquai le manteau d'Anna sur la tête pour me protéger de la volée de coups de bottes que j'appréhendais.

— Qu'est-ce qu'on fait de lui ?
— Moi, j'ai faim, j'ai froid, rentrons.
— Tu ne veux pas le violer ?
— Trop maigre !
— Toi ?
— Peut-être.
— Qu'est-ce que tu penses ?
— La même chose que toi !
— Et qu'est-ce que je pense ?

J'entendis à nouveau roter. Puis des rires. Je n'avais pas l'intention, cette fois-ci, de me joindre à leur rituel. Je fis le mort. Leurs rires cessèrent. Silence. Tragique.

Long. Trop long. Je n'en pouvais plus. Je décidai de risquer un œil. Je fis glisser un pan du manteau et regardai par l'ouverture libérée. Un beau visage de jeune fille me souriait avec une dentition parfaite dont l'éclat contrastait avec la chair de ses lèvres nues. J'agrandis l'ouverture et fis apparaître dans mon champ de vision trois autres jeunes filles, tout aussi souriantes. Elles fouillèrent dans leurs poches pour en retirer de petites choses qu'elles me lancèrent par poignées en se sauvant et en chantant: *Que c'est beau la vie!* Je regardai ce qu'elles m'avaient lancé. Des bonbons de toutes sortes: dragées, jujubes, caramels, lacets de réglisse, guimauves, lunes de miel, gommes Bazooka, berlingots, *jelly beans*. Je ramassai même une capote enveloppée dans un sachet sur lequel était imprimé le dessin d'une citrouille pourrie, édentée, grimaçante:

NE FAITES PAS COMME MOI,
UTILISEZ-LE
AVANT QU'IL NE SOIT TROP TARD!

Je me frappai le front. J'avais choisi la nuit de l'Halloween pour cambrioler Anna!

La bouche gorgée de bonbons, je riais encore de ma crédulité. Je m'étais fait avoir par quatre jeunes filles plus délurées que moi. Pressant le pas pour rentrer chez moi, j'étirais mon rire, qui sonnait de plus en plus faux, pour ne pas me retrouver seul devant cette idée qui gagnait sans cesse du terrain: celui qui portait, tout à l'heure, le manteau qu'au péril de ma vie je venais de voler à sa propriétaire possédait des traits asiatiques: Lâm était de retour! J'entrai en trombe chez moi. Je me déshabillai. Je jetai mes vêtements à la poubelle.

Je pris une douche. Idiot, débile, amateur, infirme. Je ne m'aimais pas. Anna balle, pourquoi ce strip-tease halloweenien?

Après cinq jours à tourner en rond autour de ton manteau, qui traînait sur la table de la cuisine comme une bête morte mais imputrescible, la faim eut raison de ma torpeur. Je sortis en courant et avalai deux *smoked meats* avec cornichons, salade et frites dans un restaurant du boulevard Saint-Laurent. Je savais qu'après un jeûne, il était imprudent de manger vite et gras. Quand la dernière frite rougie de ketchup tomba dans mon estomac, je m'attendais au pire : crampes, sueur, nausée. Rien. Au contraire, je me sentis mieux. Je payai et me rendis directement à une pharmacie Jean Coutu, là où on trouve de tout. J'en ressortis avec trois kilos de *jelly beans*. Je pensais à Ronald Reagan. À son intestin. Le gros. Aux milliers de *jelly beans* qui avaient glissé dans son boyau présidentiel. Je revoyais une photo de lui publiée dans tous les journaux du monde, il y a quelques années : « Le cancer du côlon de Ronald Reagan ». La photo montrait le président, assis dans son lit d'hôpital, après son opération, entouré de plusieurs bocaux de *jelly beans* que ses admirateurs lui avaient envoyés pour lui assurer un rétablissement aussi joyeux et bigarré que ces petites fèves en gelée recouvertes de sucre multicolore. Le monde entier avait alors appris deux choses : 1) on ne mourait pas du cancer du côlon; 2) le président des États-Unis était un grand consommateur de *jelly beans*. Depuis ce temps, je n'avais jamais pu m'empêcher d'associer *jelly beans* à intestin avec, à l'arrière-plan, le spectre d'un côlon cancéreux gorgé de sucre. Je me faisais ces réflexions quand je tombai nez à nez sur Ronald Reagan, avec son masque. Il me regardait avec ses yeux troués dans une vitrine qui exhibait le kitsch montréalais le plus authentique. Parmi un assortiment de casquettes des Expos, un chapeau de cow-boy poussiéreux, un bâton de hockey transformé en lampe, un cendrier posé sur une patte de chevreuil ou d'orignal, une collection de porte-clés, de crayons, de tasses à café, trônait une série de masques : Frankenstein, Jean Chrétien, des têtes de morts vivants comme en avaient portées les quatre jeunes filles et, au centre, Ronald Reagan. Cette coïncidence transforma en nécessité l'intuition artistique qui m'avait visité au restaurant un peu plus tôt : celle de transformer ton manteau en œuvre d'art. Je ferais d'autres cambriolages chez toi et chaque objet rapporté, du cheveu arraché à ton oreiller à la paire de bas extirpée de ton panier à linge sale, deviendrait le matériau brut d'une œuvre future qui installerait dans l'espace le poids, l'urgence, l'intransigeance, l'énormité de mon amour. Mon projet d'un musée d'Anna contemporaine prenait forme et promettait plus qu'une simple rétrospective alignant platement les traces refroidies de ta turbulence. Ce musée serait un kaléidoscope, celui de ma passion.

J'achetai le masque de Ronald Reagan et retournai chez moi, pressé de passer à l'action. J'avais été bombardé de bonbons par des jeunes filles, je ferais subir le même sort à ton manteau. Je m'assis en lotus et me parlai : « Christophe, concentre-toi. Oublie. Crée. Il y a des jours où tout commence, d'autres où tout finit. Il ne tient qu'à toi que celui-ci en soit un où tout commence. Respire. » Impressionné par mes paroles, je pris le masque de Ronald Reagan et l'enfilai sur ma tête. Pour créer *Manteau aux jelly beans, autres bonbons et peau d'Anna,* le port de ce masque m'avait semblé de mise, sinon obligatoire.

Je me mis à l'œuvre en plaçant tant bien que mal mes yeux devant les trous trop petits du masque. Je fis bouillir le manteau. Je fus déçu du résultat. Je le fis sécher en le bourrant de vieux journaux. Coincé entre deux chaises, il avait l'air d'un épouvantail ou d'un scaphandrier. Je fis fondre de la paraffine. J'en recouvris tout le manteau sur lequel je jetai mes trois kilos de *jelly beans*. L'œuvre prenait forme. Je frémissais, suffoquant sous le masque qui avait commencé à me contaminer. Car, sans m'en rendre compte, je m'adressais en anglais au manteau. De mes lèvres de caoutchouc s'échappait un accent californien : « *Yes, jelly beans coat, you'll see, you'll soon be a masterpiece. Please, don't look at me like that! Be cool! Trust me! I know what I'm doing. A little more red jelly beans here, a little more yellow jelly beans there, you'll be perfect! Don't worry, honey! I'll protect you against any vandalism, I'll give you all my attention, all my heart. You'll be the shining star of this place, O jelly beans coat, O Anna sugar with a sweet A, a somptuous double n and another sweet and cute a!* » Stimulé, frénétique, je cherchais dans mes tiroirs ce qui pourrait achever en beauté mon œuvre. Je dénichai un vieux puzzle de 500 pièces, la reproduction d'un Rembrandt : *Bethsabée au bain*. Je trouvai le sujet propice et j'en saupoudrai le manteau d'une grosse poignée. Ça manquait de blanc. J'y ajoutai le contenu d'un flacon d'aspirines. L'œuvre vibrait. J'attendis un peu. Puis, avec la dextérité du chirurgien qui enlève ses bandages au patient fraîchement opéré, je débarrassai le manteau de ses vieux journaux. Pas une *jelly bean*, pas une aspirine ne tomba pendant cette délicate opération. Je donnai du volume aux manches, relevai le col et posai le tout sur un tabouret pour créer un effet de socle. *Manteau aux jelly beans, autres bonbons et peau d'Anna* était née. Le lendemain, j'écrivis un court texte que je plaçai dans une poche du manteau. Je changeai le titre de l'œuvre. Je décidai de l'appeler *Restitution d'une chose jamais arrivée.* Un mois plus tard, l'œuvre m'accusait. Je n'avais rien fait. Le masque de Ronald Reagan traînait dans un coin. Tas flasque. Je n'avais aucun nouveau plan de cambriolage. Le projet de ton musée, Anna, s'était de nouveau dégonflé. Il neigeait. Mes vitres dégoulinaient d'eau de condensation. Dehors, la neige des trottoirs, sale, grise, piétinée, ni terre ni eau, me renvoyait ma propre image. Un soir, j'ai cru te reconnaître dans une publicité de yogourt à la télévision. J'ai dû écouter la télé plusieurs jours d'affilée pour m'en assurer. Ton visage souriant faisait une tache claire dans le costume de fraise qui t'enveloppait des pieds à la tête. C'était bien toi. Je téléphonai à Xénophon pour lui faire part de ma découverte.

— Tiens, des nouvelles du Mangeur-de-bicyclette !

Depuis que je lui avais raconté ma mésaventure sur la plage de Percé, Xénophon avait pris l'habitude, pour se moquer de moi, de m'appeler de cette façon.

— Écoute, Xénophon, Anna joue une fraise dans une pub !

— Je le sais. Tu n'as pas remarqué le kiwi à côté d'elle ?

— Pas vraiment.

— Tu es certain que tu n'as rien remarqué ?

— Remarqué quoi ?

— Le kiwi...

— Quoi, le kiwi ?

— C'est lui.

— Lui ?

47

— Lâm. Anna et lui se sont retrouvés par hasard sur le plateau de tournage. Ça s'est produit pendant la danse des fruits. Après la banane, le réalisateur a demandé à Anna de danser avec le kiwi. Elle s'est évanouie. Elle avait reconnu Lâm. Ils ont dû lui retirer son costume de fraise, appeler un médecin. Finalement, ils ont repris la...

J'avais raccroché avant d'en savoir plus. Je passai la journée devant la télé. Je dus attendre le lendemain pour tomber sur la même publicité. Effectivement, la fraise dansait avec le kiwi. Je pris la décision de ne plus jamais manger de yogourt, avec ou sans fruits. Cette décision ne changea rien à la torpeur qui m'engourdit durant tout l'hiver.

Le printemps arriva avec les pissenlits. L'hiver m'avait habitué à ne voir que du poisson congelé sur les trottoirs. Voilà que frétillaient maintenant truites, saumons et perches, tout cela en short et t-shirt. Je m'attendais à te voir apparaître à chaque coin de rue, dorée, un kilomètre de pissenlits te suivant comme une traîne de mariée. Je ne tenais plus en place. Je puais. Je n'étais pas fier de moi. Au fond, tu n'avais aucun tort. Tu étais belle, fringante, audacieuse, blonde jusqu'à l'infini, tu t'envoyais en l'air avec ton kiwi de service. Que pouvais-je contre cela ? Je décidai d'être positif. J'avais accumulé assez de sève pendant l'hiver pour me sentir génial.

En une semaine, j'installai sur les murs de l'appartement l'exposition « Où est passée Anna ? », fruit de mes trente rouleaux de film consacrés à ta personne. Ton manteau-sculpture trônait. Je passai une autre semaine à t'écrire une lettre d'invitation. J'échouai à faire long. J'échouai à faire court. J'échouai tout court. Finalement, j'optai pour un simple carton d'invitation. Pour ne pas t'effrayer, j'avais légèrement modifié le titre de l'exposition en supprimant ton prénom pour le remplacer par des points de suspension : « Où est passée… ? » Tu m'avais toujours encouragé dans mon travail de photographe, allant jusqu'à répéter que si j'avais rarement du talent, j'avais parfois du génie. Formule qui te ressemblait. Je n'invitai personne d'autre que toi, pas même Xénophon. Je voulais être seul avec toi lorsque, émue et transportée par les subtiles variations de mon exposition, tu me lancerais un regard d'admiration et tomberais dans mes bras. Si toi et moi, nous nous retrouvions quelques instants dans le même périmètre, il se passerait forcément *quelque chose*. Tu ne vins jamais. Le buffet froid que j'avais préparé était devenu chaud. Quoi de plus triste que de la nourriture qui a attendu trop longtemps l'invité pour qui elle a été préparée ? Le riz était pâteux, les salades évanouies, les carottes desséchées. Et mon exposition inutile. Vaine. Prétentieuse. Ridicule. Je jetai le buffet dans les toilettes. Je me préparai une omelette au son de *They all laughed* que j'avais racheté. Ella et Louis pouvaient rire tant qu'ils le voulaient : je coupai en petits morceaux le masque de Ronald Reagan que je jetai dans mon omelette en train de cuire.

Début juin, je reçus une lettre du Conseil des arts qui me sauva d'un hara-kiri certain : « Monsieur, nous avons le plaisir de vous accorder une subvention qui vous permettra de mener à bien votre projet. Nous espérons que… » Le jury avait trouvé « intéressant et faisable » mon projet « Pierre et lumière mayas : ruines en noir et blanc ». J'en étais le premier surpris. En quoi ce projet était-il plus « intéressant et faisable » que tous les autres déjà soumis ? La lettre en main, je me prosternai devant le manteau aux *jelly beans*. Je le remerciais. C'était grâce à son pouvoir que j'avais obtenu la bourse, pas de doute là-dessus. Parmi les trois photographies que j'avais fournies pour l'étude de mon dossier, se trouvait la photo n° 36 du rouleau n° 1. Je l'avais retouchée, rééquilibrant la teinte de ses gris pour créer une ambiance «années 1950». La tête sous le manteau magique, totem de mon univers, je plongeais dans le passé. Je revoyais les vagues de la côte gaspésienne. Les odeurs de la mer, mélangées à celles de ma chambre noire, m'enivraient. Dans quelques mois, je volerais vers d'autres cieux, d'autres mers.

DEUXIÈME PARTIE

LA NUIT DES PAPILLONS

5

HUACHI ET RITA

J'atterris à Cancún. La chaleur tropicale du Yucatán s'abattit sur moi. Dans l'autobus qui faisait la navette entre l'aéroport et la ville, j'achetai ma première bière mexicaine. *Cerveza* fut le premier mot espagnol que j'appris. J'eus le temps de m'en envoyer deux autres avant de me retrouver, les jambes vacillantes, au centre de Cancún. Le bus repartit avec son air de fête dans un nuage noir de poussière. À la réception de l'hôtel Ana Teresa où je descendis, on m'avait fait comprendre que la plage n'était qu'à quelques kilomètres. Des autobus vous y amenaient pour quelques pesos. Je décidai que cette ville me plaisait, que ce pays m'enchantait. Quel autre pays au monde permet la vente de la bière dans les autobus ?

J'ouvris la porte de ma chambre avec le sentiment que j'accomplissais un geste historique. J'inaugurais mon voyage, mon projet de photos et, peut-être, une nouvelle vie. La chambre était désolante. L'odeur. Un rat avait crevé là. J'ouvris la fenêtre, la refermai aussitôt. Ma chambre faisait le coin de l'hôtel, coincé entre deux rues animées, bordées de terrasses où des touristes se protégeaient du soleil derrière d'immenses pots de punch. J'enlevai mon jeans, trop chaud, déjà mouillé, et le remplaçai par un short de coton. Je sortis.

J'explorai les environs de l'hôtel avec l'impression que mes jambes nues, laiteuses, étaient nettement déplacées. Le soleil déclinait lentement. J'allai m'asseoir à une terrasse. Un garçon s'approcha et, comme par réflexe, je lui lançai au visage mon espagnol de survie : « ¡Una cerveza, por favor, Señor! »

Mon esprit avait oublié l'existence d'Anna pendant plus de cinq heures. Un exploit. Mon voyage s'annonçait prometteur. Je souriais d'aise à la pensée que l'argent des contribuables canadiens subventionnait ma cure de désintoxication d'Anna. Le projet maya n'était qu'un prétexte. Le temps était venu que je me prenne en main, que je me sorte de ses griffes. Je retournerais à Montréal nettoyé jusqu'aux os. « Loin des yeux, loin du cœur », m'étais-je répété. C'est à la quatrième bière que je pensai à toi, Anna lumière. Je me soûlais doucement au son d'un orchestre de mariachis qui avait commencé son numéro dès les premières lueurs des lanternes entourant la terrasse. C'est à la septième bière que je glissai dans la nostalgie. Je prenais de l'âge, assis à la terrasse de mes souvenirs. La musique dispersait mollement les brumes de mon passé d'où, lointain, ton visage émergeait : une photo jaunie que les yeux plissés du vieil homme que j'étais devenu reconnaissaient avec difficulté. Ah oui, la petite Anna, comme je l'avais aimée à l'époque, comme elle était charmante, cette fille aux seins fermes, à la peau de blé mûr, au rire de bois franc, au parfum de pluie. Il y a si longtemps ! À la dixième bière, tu n'étais plus qu'une photo délavée par mes larmes de vieillard. Je balbutiais ton nom par pur réflexe. Quand je me levai pour retourner à l'hôtel, j'avais des jambes de centenaire. Je me laissai tomber sur le lit humide de la chambre 17 de l'hôtel Ana Teresa comme un sac postal débordant de lettres que les services du rêve ne réussirent jamais à trier avant l'aube. En pleine nuit, deux stores se relevèrent d'un coup sec : mes paupières. Pendant quelques secondes, qui durèrent une éternité pour le compteur de mon cœur affolé, je ne sus pas qui j'étais, où j'étais, qui, dans le noir, criait ce nom d'Anna.

Je dus, dès sept heures, fuir ma chambre où je suffoquais. Je ne tenais pas en place. Je voulais voir la mer, me laver dans ses flots. Je sautai dans le premier bus. Quinze minutes plus tard, les sandales dans les mains, je contemplais un tableau infini : le blanc du sable, le vert de la mer, le bleu du ciel. Ces trois bandes superposées, lavées par la lumière du matin, en disaient plus long que toutes les expérimentations de l'histoire de la peinture. La plage était encore déserte. Je fis un tas avec mes vêtements que j'enfouis dans le sable par précaution et, solennel, entrai dans la mer des Caraïbes. J'en ressortis, persuadé que mon cœur était purgé, qu'un sang frais revigorait mes membres, que je pourrais aligner, Anna, tes deux syllabes sacrées sans tomber en transe. Personne, à mon retour, ne reconnaîtrait, dans ce corps travaillé par les vagues, le sel et le soleil, le Christophe des jours moroses. Inspiré, j'écrivis dans le sable cette phrase : « combattre le feu par le feu ». Seul le soleil brutal des Caraïbes éteindrait l'incendie qu'Anna avait allumé sous ma peau. Je n'avais jamais compris qu'on puisse trouver du plaisir à faire semblant d'être un sac inerte alors que sa propre chair brûle. Je n'aspirais plus désormais qu'à pousser cette expérience cruelle jusqu'aux limites du possible.

Une crampe m'alarma vers midi. Les nombreuses *cervezas* de la veille continuaient leur travail. Ma peau tournait au rouge. Je relisais la phrase imprimée dans le sable pour résister à la tentation d'aller me réfugier à l'ombre. La cure exigeait de la persévérance. La crampe brassait mon estomac, tordait mes intestins. Je me levai. La crampe s'estompa. La mer scintillait : miroir aveuglant où je me précipitai. Je nageais dans le soleil. Je rutilais comme la carapace turquoise d'une tortue. Je me déclarais heureux quand une deuxième crampe fit un nœud dans mon corps ballotté. Je me contractai comme un ver. Je vomis. La honte, puis la culpabilité s'emparèrent de moi. Vomir dans la mer ! J'avais souillé la planète. J'abandonnai très vite ces considérations morales. Entre deux spasmes, j'avalai de l'eau et perdis le contrôle de mon système respiratoire. Des vagues apparurent, devant, derrière, m'empêchant de reprendre mon souffle. J'esquissai timidement une question : « Suis-je en train de me noyer ? Mais non, je suis simplement affolé. » J'agitais mes bras et mes jambes, oubliant les mouvements les plus élémentaires de la natation. Je ne savais plus si je vomissais ou si j'avalais de l'eau. Les deux actions s'étaient fusionnées dans un mouvement unique de pompage : mais qui, de la mer ou moi, pompait l'autre ? Je criais, appelais à l'aide. Des images se bousculaient : Anna m'offrant un t-shirt le jour de mes vingt-cinq ans, le rocher Percé qui se refermait sur moi, m'étouffait, ma chambre noire inondée, m'emportant dans ses flots acides, Anna, toujours Anna, qui, au lieu de descendre, montait, aspirée par son parachute, disparaissant dans le ciel jusqu'à ne devenir qu'un minuscule point blanc qui allait...

Je reçus un formidable coup de poing ou une gigantesque gifle qui me fendit les lèvres et me fit sur-le-champ retrouver mes esprits. Près de moi se tenait une femme.

— Ça va ?

— Très bien.

Ça n'allait pas du tout, mais le ton de sa question était si gentil, si à propos et la question elle-même, si pleine d'attention et si peu commandée par la politesse, vu les circonstances, que je pris le parti d'oublier au plus vite les affres que je venais de vivre.

— Il n'y a pas de quoi se noyer. Vous voyez, à peine un mètre d'eau.

— Surprenant.

— Excusez-moi pour la gifle. Je vous ai blessé avec ma bague.

— Vous avez bien fait.

Elle me regarda l'air étonné, puis amusé. Sur la plage, elle me tendit une serviette pour essuyer le sang de mes lèvres. Je refusai, courus chercher mes affaires, m'essuyai et revins m'asseoir près d'elle. Elle fumait.

— Vous ne fumez pas ? Un jeune homme comme vous ne fume pas.

— Qu'est-ce qui vous fait dire ça ?

— Les statistiques.

Elle portait, sur son maillot de bain, un grand sweat-shirt qui dissimulait ses formes. Elle n'était pas belle, plutôt charmante. Dans la quarantaine sûrement.

— Je n'ai pas tout de suite réagi quand je vous ai entendu appeler à l'aide. Vous comprenez ?

Je ne comprenais pas. Je me composai un visage ouvert avec l'espoir qu'elle y verrait un peu de profondeur.

— Je vous trouvais ridicule de faire autant de bruit. Avant de vous secourir, j'ai eu le temps de vous inventer un passé. Vous avez une drôle d'expression dans les yeux ?

— C'est le sel.

— Vous êtes capable de faire de l'esprit. Je lisais quand j'ai entendu vos cris.

Un rire discret s'échappa du bout de ses dents. Elle éteignit sa cigarette.

— Le plus beau sable de toute la planète : celui de Cancún. Vous avez remarqué la qualité des grains ? Tous pareils, tous parfaits, tous d'une blancheur immaculée. On croirait qu'ils ont été fabriqués en usine. Je me sens un peu coupable de m'en servir comme cendrier. Tenez, voici ce que je lisais : *Sacrifice humain chez les Aztèques.*

Je pris le livre. Un frisson me parcourut. «Avant de vous secourir, j'ai eu le temps de vous inventer un passé.» Ces mots résonnaient encore en moi. Je lui remis le livre sans l'avoir ouvert.

— Les Aztèques sacrifiaient des gens pour entretenir le soleil. Ils le percevaient comme un moteur. Ils croyaient le protéger contre la rouille en le lubrifiant avec du sang. Partons d'ici avant de brûler.

Nous nous étions donné rendez-vous le soir même dans un restaurant de poissons qu'elle avait suggéré pour la renommée de son *huachinango*, sorte de rouget. Trop heureux de retrouver sa compagnie, je n'avais pas exprimé mon peu de goût pour cette chair blanche bourrée d'arêtes et d'iode. Je passai le reste de la journée à boire des jus de fruits dans l'ombre des parasols. Je craignais une nouvelle crampe.

Au restaurant, je faillis ne pas la reconnaître. Elle était arrivée la première. J'aurais dû arriver plus tôt. Son visage disparaissait derrière une paire de lunettes en forme d'écran de télévision aux montures rouge vif lui donnant l'air à la fois vieille et branchée. Elle portait une chemise d'homme rayée, rouge comme ses montures. Bref, je la trouvai vilaine et, du même coup, compris qu'il y avait de bonnes chances qu'elle trouvât, de son côté, ridicule l'espèce de bipède à peau rose qui s'avançait vers elle. Une fois assis et baignant dans son parfum – quelque chose de chic, cher et français –, je goûtai la satisfaction de passer une soirée dans un cadre exotique et romantique avec une femme. J'avais envie de prononcer ton nom, Anna, pour sonder son pouvoir sur mon système nerveux. Pourquoi tenter le diable ?

— Je propose de ne pas commencer par décliner nos noms, nos professions, nos déceptions. Restons anonymes. J'aime votre regard. Il ne dit rien, mais il permet de respirer.

— Sur la plage, vous m'avez dit qu'avant de me secourir, vous aviez eu le temps de m'inventer un passé. Ça m'a trotté dans la tête toute la journée. Je suis curieux de savoir quel passé vous m'avez inventé.

— Oublié. Ça n'a pas d'importance. Je pourrais vous en inventer un autre tout de suite.

Il y avait du défi dans sa voix. De l'humour aussi. Nous buvions des *margaritas.* Elle fumait cigarette sur cigarette. Je voulus, à mon tour, lui inventer un passé.

— Quand vous étiez une petite fille, vos parents vous obligeaient à suivre des leçons de piano. Un jour, vous avez versé un litre d'essence sur le piano. Puis vous avez craqué une allumette. Dans votre village des Alpes, vous êtes devenue une célébrité. On avait peur de vous, mais on vous respectait. À vingt ans, vous avez remporté une compétition de ski. Vous avez gravi les échelons nationaux et internationaux. Votre poitrine s'est couverte de médailles. Un jour, en Autriche, vous avez fait une chute qui vous a clouée au lit plusieurs mois. Vous en avez profité pour écrire votre biographie. Best-seller immédiat, traduit en dix-huit langues. Vous avez amassé une fortune colossale que, depuis, vous dilapidez en voyages. Vous êtes venue au Mexique pour...

— Continuez.

— ... pour fuir.

— C'est vrai. Je fuis la police. J'ai tué mon dernier mari. Comme les autres d'ailleurs.

— Alors je lève mon verre à vos futures victimes !

Au poisson, nous avions décidé de nous appeler Margarita et Huachinango. Au dessert, nous étions devenus Rita et Huachi. À mon étonnement, j'avais apprécié le poisson grillé qu'on m'avait servi, entouré de morceaux de limette et d'avocat. Rita était soûle, moi je le devenais doucement.

— Regardez ce poisson. Une tête, une longue épine dorsale, puis une queue. On croirait avoir sous les yeux un hiéroglyphe ou un rébus.

— Ou une flèche.

— Qui indique : par ici, c'est par ici que la vie a passé. Le poisson est un animal superbe. Il possède la forme d'une pensée qui peut s'insinuer dans les cervelles les plus épaisses, les plus compactes, les plus gluantes. Toute la vie d'un poisson consiste à se frayer un passage. Et l'odeur d'un poisson ! Plus essentielle, plus métaphysique que sa saveur ! Cette odeur remonte à la nuit des temps, recèle le secret de la matière en gestation. Cette odeur musclée est une clef, la seule capable d'ouvrir la porte qui nous sépare de la mort. L'odeur d'un poisson retrace, dans ses relents, les coïts de la mémoire universelle, les élans les plus brutaux et les plus raffinés. Cette odeur soulève le cœur pour mieux le faire basculer. Dans un seul poisson, il y a la mer entière. C'est le flacon du temps. Regardez encore cette tête de poisson dans votre assiette, n'est-elle pas pitoyable?

— Tout à fait.

— Eh bien non, elle n'est pas pitoyable, elle est grandiose! Elle nous rappelle mille autres sacrifices. Le sacrifice, Huachi, n'est pas une bêtise, une drôlerie ou une vieillerie bonne pour les Aztèques et autres peuples exterminés. Le soleil a ses adeptes. Mais la mer aussi. Ce matin, vous auriez pu faire une victime de choix.

Rita leva les yeux et regarda au loin derrière ses gros verres, au-delà des murs, du soir, de l'heure. Le vin avait gonflé ses lèvres. Ses paroles m'avaient remué. Peut-être voulait-elle se payer ma tête avec, en plus, celle du poisson, mais une larme coulait incognito sur ma joue. J'étais touché. Rita m'avait ouvert les yeux : je possédais les caractéristiques d'une victime idéale, aussi grandiose que le poisson dans mon assiette dont les yeux globuleux scintillaient de compassion à mon égard. Je commandai une autre bouteille. Rita sortit de son brouillard.

— On a écrit des kilomètres de balivernes savantes et abracadabrantes sur les victimes du soleil. C'est vrai : ça fait mal de se faire ouvrir la poitrine, de se faire arracher le cœur. Mais il ne s'agit pas que de ça. Qui va au fond des choses aujourd'hui? Bien sûr, il y a la beauté du geste. Tout le monde est d'accord pour le dire : offrir un cœur, le sien ou celui du voisin, ça ne manque pas de panache et ce n'est pas à la portée du premier venu. Huachi, je ne supporte plus cette civilisation qui ne reconnaît pas qu'une victime est avant tout le seul lieu sur terre où la divinité peut se sentir à l'aise.

— Mais...

— Il n'y a pas de mais. Il faut surmonter la boucherie, les litres de sang dégoulinant sur les marches du temple, la quincaillerie habituelle et l'odeur fétide qui a tant répugné aux premiers Espagnols. Ne me regardez pas comme ça.

— Comment?

— Vous semblez perdu.

— Rita, vous êtes une femme extraordinaire.

— S'il vous plaît, ne devenez pas stupide.

— Je suis sérieux. Le Mexique n'est rien si je le compare à vos paroles.

— J'ai envie de vous mordre.

Anna, plus cette femme parlait, moins je la comprenais, plus elle me captivait. Cette soirée autour d'un *huachinango* donnait à ma vie un éclairage nouveau. J'avais envie de me perdre, de marcher jusqu'au bout de la pointe de mon cœur qui, trop souvent, avait indiqué ta direction et de plonger dans le vide.

Quand nous avons quitté le restaurant, Rita ne tenait pas debout. Je n'étais pas plus alerte. Elle me demanda de lui trouver un taxi. Elle logeait sur le bord de la lagune. Au moment de nous laisser, j'attendais éperdument un signe. Voulait-elle que je l'accompagne? Pourquoi ne pas aller à mon hôtel? Rien ne se passa. Assise dans le taxi, elle s'enfonça dans un silence pesant où seul un « *buenas noches, Huachi*» put émerger. Elle m'apparut vieille, lasse, perdue. Elle donna un nom d'hôtel au chauffeur. Le taxi démarra. Je levai la tête au ciel et vis des milliers d'étoiles prêtes à tomber sur moi. La nuit m'enveloppait de son mystère. J'allai au plus vite me coucher avant que la nostalgie m'avale ou me transforme en loup.

Mon réveil fut brutal. Un homard ouvrit les yeux. Ébouillanté. Ma peau criait vengeance, s'arrachait de ma personne. Seul un petit rectangle de mon corps, décalque blanc de mon maillot de bain, demeurait muet. La cure avait porté fruit. Je vivais le plus grand coup de soleil de mon existence. Je passai la journée à m'enduire de crème hydratante. Je n'osais pas sortir. Un seul rayon de soleil aurait fait exploser la matière hautement inflammable de mon corps. J'aurais tout donné pour me promener dans les rues de Montréal que j'imaginais fraîches, lavées par une pluie récente. J'entendais ton rire, Anna.

Je sortis à la tombée du jour, habillé jusqu'au cou. Les touristes que je rencontrais semblaient anormalement heureux. Je soupçonnais une conspiration : ils s'étaient tous mis d'accord pour me narguer avec leur sourire, leur couple vêtu de coton, leur peau respirant la santé, leur jeunesse dorée ou leur troisième âge si bien assumé. J'étais le seul à être seul. Et j'étais si loin de toi, Anna. Chacun de mes pas, peu importe leur direction, m'éloignait de toi. Je pris un taxi. Il me déposa à l'hôtel où Rita était descendue. Quand le préposé à l'accueil, un homme arborant une moustache sombre, se tourna vers moi et me susurra son *¿ sí, Señor ?*, je ne sus que répondre, privé de mémoire et de mots.

— *Oune pétite momento, por favor, Señor.*

C'est tout ce que je trouvai à dire. Je ramassai un dépliant touristique qui traînait sur le comptoir. C'était une carte géographique du Yucatán. Je dessinai d'une main mal assurée le visage de Rita. La pointe de son menton touchait le Guatemala et son front baignait dans le Golfe du Mexique. Je le présentai à l'homme à la moustache qui l'examina avec circonspection, puis avec suspicion, puis avec incompréhension.

— *Ouna Françaisa, yo* cherche *ouna* femme. *I am searching a woman from France. She is staying in this hotel, understand ? I don't know her name, just her face, compren-do ?*

L'homme lissa sa moustache, sembla réfléchir, puis disparut derrière une porte. Il en revint accompagné d'un autre homme que je pris tout de suite pour son supérieur à la manière dont il s'effaça pour le laisser passer. Je recommençai mes explications. Mon nouvel interlocuteur exhalait un parfum bon marché, musclé, qui me piquait le nez et me faisait suer malgré l'air conditionné qui régnait dans le hall de l'hôtel. Celui-ci manipula la carte géographique et, de son doigt bagué, s'entêta à indiquer Cancún, croyant peut-être que je n'étais qu'un touriste égaré et, sans doute, pas très brillant.

— *No Cancún, Señor. Look the face here. Yo* cherche cette femme. *No connesse* son nom. *She is in your hotel, comprendo?*

L'homme à la moustache, de son côté, avait alerté un garçon d'ascenseur et trois femmes de ménage qui s'étaient attroupées autour de la carte dépliée. La plus jeune des femmes de ménage, une adolescente radieuse, m'offrit un regard rempli de compassion. Mon dessin circula de main en main, provoqua toujours plus de discussions, de haussements d'épaules. J'avais érigé, sans le vouloir, une petite tour de Babel qui, comme la valse de Ravel, enflait, gonflait et emportait finalement les danseurs, l'orchestre et le décor dans son tourbillon. Une petite queue s'était formée devant le comptoir de la réception. Un homme, portant un chapeau d'explorateur, attendait qu'on s'occupe de lui. Je repris la carte, la repliai. Je les bombardais de *gracias, gracias, Señores, gracias, gracias Señoras* et tentais une sortie quand une phrase bien française me fit retourner :

— Vous avez un problème, jeune homme?

C'était l'homme au chapeau. Il avait récupéré la clef de sa chambre et se dirigeait vers moi.

— Je peux vous aider? Je connais assez bien les environs.

— Non, merci. Vous êtes très gentil. Je ne suis pas du tout perdu.

— Ce n'est pas l'impression que vous donnez.

— Je cherche quelqu'un.

Je dépliai la carte.

— Elle habite cet hôtel, mais je ne connais pas son nom. Comme vous voyez, je ne dessine pas très bien. Peut-être l'avez-vous aperçue? Elle est française, comme vous, je crois, elle a quarante ans, peut-être plus, difficile à dire, elle n'est pas très belle, elle est mince, maigre même, elle porte des lunettes, pas toujours, mais elles sont énormes, on ne peut pas les rater.

— Oui, oui, je vois très bien qui c'est.

Une bouffée d'espoir me rafraîchit. Je trouvai charmant cet homme malgré son chapeau qui me le rendait un peu ridicule.

— Vous savez où elle se trouve?

— Oui, jeune homme.

— C'est une chance que je sois tombé sur vous.

— Oui, jeune homme.

Le ton de sa voix avait monté.

— Alors, vous savez le numéro de sa chambre?

— Oui, jeune homme.

— C'est absolument inespéré!

— Oui, jeune homme.

Je ne savais plus comment aborder la question, indisposé de plus en plus par ses «oui, jeune homme» que je commençais à prendre pour une façon gentille, mais tout de même insistante, de se moquer de moi. Peut-être était-il un peu «dérangé». Je récidivai :

— Alors, vous connaissez cette femme ?

— C'est la mienne.

J'éclatai. De rire. Un phénomène nerveux. Une sorte de hoquet qui ne laissa aucune bavure sur la frange de silence qui le borda aussitôt.

— Je... je suppose, monsieur, que vous vous demandez pourquoi je... je suis à la recherche de votre femme. C'est très simple à expliquer. J'ai... j'ai... je dois lui... je suis venu la... votre femme m'a sauvé la vie, je suis venu la remercier, j'ai pensé que la moindre des choses était de venir une dernière fois la remercier, je pars demain, voilà !

Je me précipitai vers la sortie mais l'homme me rattrapa.

— Jeune homme, si nous allions prendre un verre ?

L'hôtel Caribe possédait deux bars, le Barracuda, qui donnait sur une terrasse avec piscine, parasols et jardinets, et le Mariposa, relégué au sous-sol, obscur et givré tant la direction veillait à ce que sa clientèle n'émette pas la moindre gouttelette de sueur. L'homme me demanda où je préférais aller mais, sans attendre ma réponse, me dirigea vers le Mariposa. En descendant l'escalier qui menait au bar, je me rappelais les propos fantaisistes de Rita concernant ses supposés maris. Et si c'était vrai ? Et si cet homme était sa future victime ? Du cyanure ou de la mort-aux-rats était peut-être déjà à l'œuvre. Peut-être allait-il même s'écrouler dans cet escalier devant moi ? Je pris à peine quelques secondes pour produire cette suite loufoque de pensées, et c'est avec une certaine nervosité que j'ai posé mes yeux sur le mari de Rita quand nous nous sommes assis face à face. Une flamme vacillait paisiblement dans un lampion, au centre de notre table, profilant sur son visage une ombre funeste. Nous étions les seuls clients, ce qui était normal étant donné la tristesse de l'endroit. Par contre, je trouvai moins normal qu'il n'y ait aucun garçon pour nous proposer *margaritas, cocos locos* ou *daiquiris.* J'avais la sensation, avec tous ces lampions allumés sur les tables, de me trouver dans le vide solennel et inutile d'une église.

— Ma femme va bientôt mourir.

Je vis une larme couler sur sa joue. Je décroisai les jambes et cherchai quelque chose à dire. Un garçon apparut, sorti de nulle part, et je m'absorbai dans la carte des *bebidas.* Je commandai une bière, une Excelsior. Le mari de Rita commanda un cognac. Nous sommes demeurés silencieux jusqu'au moment où le garçon apporta nos verres. Quelque chose dans l'air se fit moins lourd.

— Seigneur, pourquoi elle? Pourquoi ne m'avez-vous pas choisi, moi, à sa place? Pourquoi? Vous ne savez pas combien de fois dans une journée je peux répéter ces questions creuses! Et plus je les répète, plus je les trouve creuses. Mais je ne prétends pas changer la nature humaine à mon âge. Surtout la mienne. Il m'a bien fallu trouver un mot pour apaiser mon angoisse, donner un sens à ce qui m'arrive. Un mot, pourvu qu'il fonctionne, qu'il s'adapte, change tout. C'est petit, peu encombrant, portatif, ça s'insinue partout, comme une minuscule fleur qui, avec ses racines encore plus minuscules, perce le béton d'un mur. Et ce mot n'a pas été celui de Dieu. Il y a un autre mot qui explique le fait, par exemple, que nous nous trouvons ici, face à face : destin. Je ne prétends pas, jeune homme, posséder des compétences spéciales ou des pouvoirs qui relèvent de mécanismes extrasensoriels ou prémonitoires. Non, je suis un homme banal, ordinaire, qui n'a rien à cacher ni à se reprocher. Mais...

L'intonation avec laquelle il prononça ce « mais » déclencha dans mes intestins un gargouillement interrogatif. Il termina d'un trait son cognac et reprit sa phrase laissée dans le vide.

— ... Mais je ne me trompe jamais quand le destin me fait signe, quand il m'envoie ses émissaires. Je m'appelle Alfred Leiris, ingénieur à la retraite. Ma femme a une tumeur au cerveau. Les spécialistes lui donnent quelques mois ou quelques semaines...

— Je ne peux pas le croire.

— Je l'aime. Je sais que je ne survivrai pas à sa mort. Je l'ai d'ailleurs épousée pour mieux mourir avec elle. Nous sommes en voyage de noces. Et ce voyage durera aussi longtemps que la tumeur de ma femme nous le permettra. Ma vie, notre vie, ne tient plus désormais qu'à cette petite excroissance de chair qui fait son chemin dans le cerveau de ma femme. Une fleur, vous comprenez, une fleur qui pousse inéluctablement. Le destin.

Il commanda un autre cognac. Je n'avais pas encore fini ma bière. Je m'en voulais d'avoir pu imaginer que Rita était une aventurière. Je n'avais ni cœur ni intuition et n'avais rien compris à cette femme avec laquelle, il faut bien l'admettre, Anna, je venais de *tomber en amour*. Je reprenais à mon compte le mot de cet homme brisé : destin. Oui, c'était mon destin d'aimer Rita, j'en étais convaincu en regardant son mari boire son deuxième cognac.

— Jeune homme, l'amour ne donne pas des ailes. L'amour ampute : bras, jambes. Il fait de nous des hommes-troncs. Il nous dépose comme un paquet sur une route, nous oublie dans la lumière crue du jour, dans la pluie froide de la nuit. Les gens, les autos, les heures, les saisons passent, mais nous, nous nous enfonçons, nous nous entêtons. Nous avons décidé, une fois pour toutes, de ne pas bouger, de garder le regard fixe sur une petite chose qui ne nous concerne pas. Si vous saviez comme j'aime cette femme, comme c'est un mystère pour moi de l'aimer, comme je respecte ce mystère. Le destin n'arrange jamais les choses. Il les défait.

Alfred Leiris se tut et plongea son regard dans le fond de son verre. J'eus envie de lui dire que j'étais aussi un homme-tronc à la dérive qui flottait quelque part au Mexique, que l'amour m'avait même amputé la tête, mais je me contentai de finir ma bière en réfléchissant à ce que le destin était sur le point de me réserver.

— J'espère, jeune homme, que vous savez ce que vous devez à ma femme.

Le ton brusque avec lequel Alfred Leiris avait prononcé cette phrase mit un terme à ma réflexion à peine amorcée.

— Elle m'a raconté votre rencontre sur la plage. Elle vous a sauvé la vie. Ne trouvez-vous pas étrange cette coïncidence qui, au fond, n'en est pas une ?

— Quelle coïncidence ?

— Qu'une personne sur le point de mourir en sauve une autre. Qu'une personne que personne ne peut secourir en secoure une autre.

Je réfléchis le plus vite que je pus et arrivai à la conclusion que cela, effectivement, pouvait avoir l'air étrange. Mais je ne comprenais pas où voulait en venir Alfred Leiris. Il venait de faire signe au garçon de lui servir un troisième cognac.

— Vous partez demain, m'avez-vous dit. Dommage. Puis-je savoir où vous projetez de vous rendre ?

Je n'avais rien projeté et je n'avais pas l'intention de quitter Cancún aussi vite.

— Je prévois me rendre jusqu'à la frontière du Belize. Puis j'ai l'intention de descendre la côte.

— Jusqu'au Honduras ?

— Oui, et peut-être plus loin encore.

— Dommage, jeune homme.

Alfred Leiris me regarda intensément. Il répéta son «dommage, jeune homme», sortit un mouchoir de la poche de son pantalon, se moucha en ne me quittant pas des yeux.

— Vous n'êtes pas insensible à ma femme ?

Je fis comme si je n'avais rien entendu.

— Vous êtes un jeune homme plein de fougue, ça se voit au premier coup d'œil. Le destin ne choisit pas n'importe qui.

Où voulait-il en venir avec son destin ? La tournure de cette conversation m'indisposait de plus en plus.

— Je ne me trompe jamais quand le destin se donne la peine de passer un petit moment avec moi. Vous m'excuserez, je dois remonter à ma chambre. Avec tous les médicaments qu'elle prend, ma femme ne doit pas demeurer seule trop longtemps. Et avec tout l'alcool qu'elle a bu avec vous hier...

— Elle vous a raconté ça aussi ?

— Écoutez, jeune homme, ne soyez pas si pressé. Le Belize peut attendre, après tout.

Il se leva, me salua d'un signe de tête, fit un pas vers l'escalier, se retourna.

— Au fait, je ne connais pas votre nom.

— C'est vrai. Je m'appelle Christophe Langelier.

— Ce fut un plaisir de vous connaître, monsieur Langelier.

Je me levai pour lui serrer la main, mais il s'était déjà retourné (ou avait-il, peut-être, fait mine de ne pas voir mon geste?). Je l'observai gravir l'escalier en repensant à ce qu'il venait de me dire : « Le Belize peut attendre, après tout. » Qu'avait-il voulu dire? Je me laissai tomber sur ma chaise et commandai une autre bière. J'avais oublié de demander à son mari le véritable nom de Rita. De toute façon, je savais maintenant qu'elle s'appelait madame Leiris.

Je souriais à la pensée qu'à peine trois jours plus tôt, je vivotais sur l'avenue Coloniale, rongé, miné, détruit par ton absence, Anna perle. Quel saut, quel bond j'avais accompli! J'avais atterri au Mariposa, lampion parmi d'autres, et brûlais mes réserves d'amour mal aimé.

6

ISLA MUJERES

Deux jours plus tard, une lettre m'attendait à la réception de l'hôtel Ana Teresa. Il n'y avait que mon nom, écrit à la main, sur l'enveloppe. D'une encre violette. J'étais certain qu'elle venait de Rita. De qui d'autre? Je n'avais pas cessé de penser à elle. La veille, un cauchemar m'avait réveillé en pleine nuit. Je me trouvais dans un pré, une carabine sur l'épaule, l'œil visant un lapin qui détalait, à moitié visible dans l'herbe haute. Je tirai, puis me précipitai sur l'animal que je venais d'abattre. Je ne découvris dans l'herbe qu'une paire de lunettes aux verres fracassés. J'entendis une branche craquer. Je me retournai. J'aperçus Alfred Leiris, une coupe de *margarita* à la main. Il portait un pantalon blanc et une chemise blanche.

— Bravo, jeune homme, vous l'avez eue du premier coup!

Il se pencha, ramassa quelque chose. Je m'approchai. Il tenait, entre le pouce et l'index, une balle.

— Regardez : la tumeur.

— Mais non, monsieur Leiris, c'est la balle de ma carabine. Où est votre femme?

La coupe d'Alfred Leiris vira au rouge, déborda, tacha son pantalon. Je m'étais réveillé avec, dans la bouche, un goût épais de jus de tomate.

73

J'ouvris l'enveloppe. Le cœur battant, je lus :

J'ose penser, monsieur Langelier, que vous ne serez pas trop surpris de recevoir cette lettre après notre conversation. Si vous vous demandez comment elle a pu se rendre à son destinataire, n'allez pas imaginer que j'ai commis, à votre endroit, un acte quelconque d'espionnage. J'ai tout bonnement demandé à la réception du Caribe l'adresse où le chauffeur de taxi vous a conduit lorsqu'on vous a fait quitter le Mariposa dans un état, m'a-t-on dit, d'ivresse plus que joyeuse. Ou était-ce de tristesse qu'étaient faits vos pleurs et votre délire ? Vous m'excuserez de m'avancer de la sorte dans votre vie privée mais les circonstances m'incitent à le faire.

Ma femme part demain pour Isla Mujeres. Elle descendra à l'hôtel Zazil-Há Bojórquez. Je suis certain qu'elle prendra un grand plaisir à vous y rencontrer. N'ayez crainte, je demeurerai à Cancún.

Il est extrêmement important, monsieur Langelier, que ma femme ne soit au courant ni de cette lettre ni de notre rencontre. Vous comprendrez aisément que son état ne nous permet pas de prendre de risques quant à ses réactions émotives, si je puis m'exprimer ainsi. En fait, pour être franc, l'état de ma femme dégénère. Je crains que d'ici un mois elle ne nous quitte. Je vous l'ai dit, je ne le supporterai pas. Mais cela est un autre sujet avec lequel je ne veux pas vous importuner. Par contre, je vous ai déjà, hors de tout doute, choqué avec cette lettre. Je vous entends vous étonner : « Quel homme sans scrupules ! Il me pousse dans les bras de sa femme, peut-on imaginer pire perversité ? » Je vous l'accorde. Je suis pervers. Et je serais prêt à beaucoup plus pour procurer, ne serait-ce que pendant une seconde, du bonheur (ou plaisir ou soulagement, appelez ça comme vous le voulez) à ma femme chérie.

Je ne vous le cacherai pas : à mon âge, je ne peux pré-
tendre à aucune prouesse. Cela est bien banal et je rougis de
vous l'avoir écrit. Mais depuis peu les appétits de ma femme
ont augmenté considérablement. Anormalement. Les médecins
m'avaient prévenu que peu avant la fin, un regain d'énergie
secouerait son pauvre corps malade. Un feu d'artifice bien triste,
vous l'avouerez, pour un voyage de noces. Je me sens coupable,
mille fois coupable, de ne pas être en mesure de lui procurer ces
derniers moments d'exultation. Pouvez-vous, monsieur Lange-
lier, ressentir le millième de mon tourment ?

Avant de vous saluer, j'aimerais vous rappeler que ma
femme vous a sauvé la vie. Ce fait ne vous oblige à rien mais,
à mon humble avis, il a lié vos deux destins de façon irrémé-
diable. Lorsque je vous ai vu dans le hall du Caribe, avant
même de vous parler, j'ai senti que vous n'étiez pas, monsieur
Langelier, n'importe qui. Vous accorderez, j'ose l'espérer, un
peu de crédit au vieil homme qui vous écrit.

P.-S. : Si, déjà, votre destin vous a mené sur la route du
Belize, j'aurai écrit au vent !

Alfred Leiris n'avait pas signé. Je reniflais. J'avais
pleuré. Jamais, au cours de ma vie, je n'avais été témoin
d'un amour aussi pur. La lettre terminée, j'étais profondément en amour avec l'amour que cet homme portait à
sa femme. Un amour, Anna ricochet, qui faisait de l'ombre à celui que je t'avais consacré et auquel, de toutes
mes forces, j'essayais de me soustraire. À tel point que
des doutes m'assaillaient : t'avais-je *suffisamment* aimée ?
Ne faisais-je pas fausse route dans cette chambre de
l'hôtel Ana Teresa ? Ne devrais-je pas plutôt mesurer,
grâce à l'éloignement du voyage, le chemin qu'il me restait encore à parcourir pour atteindre l'amour véritable,

celui qui nous emporterait dans son sillage et nous comblerait mutuellement?

Je relus la lettre. Je trouvai étrange qu'Alfred Leiris se perçoive comme un «vieil homme». Il ne m'avait pas donné cette impression. Mais il m'avait convaincu : Rita n'avait pas sauvé la vie de n'importe qui.

J'ouvris mon guide du Yucatán et cherchai dans l'index Isla Mujeres. J'appris que c'était une petite île large d'à peine quatre kilomètres. Le style poético-touristique du guide la décrivait comme une charmante station balnéaire, émeraude flottante entourée de cocoteraies, ourlée d'un sable fin, presque blanc, provenant de la désagrégation des bancs de coraux, eux-mêmes décrits comme de véritables jardins marins où villégiaturaient des milliers de poissons lumineux. Mais ce qui attira mon attention, excita mon imagination et me conforta dans mon intention de me rendre au surprenant rendez-vous manigancé par Alfred Leiris était contenu dans les dernières lignes consacrées à la description de l'île. Je lus qu'Isla Mujeres signifiait «Île des Femmes». Alfred Leiris avait raison. Quelque chose était en route. Un navire avait été lancé. J'étais sur le pont et il m'était impossible d'en descendre ou de rebrousser chemin. Je voguais inéluctablement vers Isla Mujeres. Moi, Christophe, qui avais toujours pensé que seuls les personnages de roman possédaient un destin, découvrais que je n'avais rien à leur envier.

Je poursuivis ma lecture. Le guide m'apprit encore que l'île avait reçu son nom d'une observation qu'avait fait Francesco Hernández de Córdoba lorsqu'il avait débarqué sur ses côtes en 1517. La plupart des temples qu'il découvrit sur place étaient dédiés à des idoles féminines, déesses de la fertilité. Mon esprit excité n'en demandait pas plus pour parer d'une auréole divine le visage de Rita et accorder à sa tumeur, statuette plongée dans les profondeurs de son âme, des pouvoirs obscurs. Quand je refermai le guide, un trac immense m'envahit. Le lendemain, je pris le ferry à Puerto Juárez. Un bonheur absurde illuminait mes yeux, donnait à la brise qui soulevait mes cheveux une douceur exquise. Je resplendissais. Guettant sur le quai l'arrivée du ferry, assis sur ma valise, je remplissais mes poumons de l'air frais du matin. L'air du large : un mélange de sel, de poisson, de varech, de poutre pourrie, d'huile à moteur et d'aventure. Le regard glissant sur le miroir vert de l'eau, je ressentais une irrésistible envie de vivre, de mordre, d'aller de l'avant. Ce matin, j'avais bouclé mes valises, commandé des œufs et du café, payé ma note, pris un taxi pour Puerto Juárez avec la sensation d'accomplir des gestes parfaits, beaux, harmonieux, s'enchaînant les uns aux autres avec la grâce d'une danse. Je m'étais juré, voyant approcher le ferry, que tout ce que j'entreprendrais désormais serait marqué du sceau de la légèreté. J'étais paré pour l'aventure, les voiles tendues, et ton nom, Anna, avait un goût nouveau, celui d'une menthe. Je confondais avoir un destin avec être fait de l'étoffe des héros pour qui l'aventure n'est que pain quotidien. Christophe Langelier n'était pas n'importe qui ! J'étais même convaincu, Anna, entouré de mes bagages, vêtu de mon short, la peau brûlée, mon Canon en bandoulière, d'être beau.

On apercevait du rivage la masse aplatie d'Isla Mujeres. J'en fus déçu. Mon cœur battait pour accompagner un paquebot lancé sur les sept mers, non un ferry qui, dans sa journée, faisait la navette une dizaine de fois. Mais l'instinct du photographe se réveilla en moi et, malgré ma réticence à cadrer dans des zones touristiques où les fantômes de milliers de clics étaient encore audibles, je fis quelques photos de Puerto Juárez disparaissant dans les embruns. Puis je fixai mon attention sur l'île des Femmes. Bientôt je pus distinguer la tête sombre et vacillante des palmiers, le rose et le gris des hôtels, la tache claire des chemises ou des jupes qui clignotaient sur le littoral. Plus le ferry me rapprochait de l'île, plus la présence de Rita devenait tangible. Je n'avais rencontré cette femme que quelques heures, mais je me comportais comme un soldat qui allait rejoindre sa bien-aimée après une guerre interminable. Et au lieu de déposer les armes, je les brandissais. Ma guerre à moi débutait. J'avais établi un plan d'attaque. Le pied posé sur le sol, je partirais en mission. Je me surpasserais. Mes ardeurs ne donneraient pas que du «soulagement» à Rita. Ma passion traverserait les courants secrets de sa chair, remonterait jusqu'à l'origine du mal pour l'endiguer et l'anéantir. Je lui apporterais le traitement d'un amour-choc.

Quand le moteur du ferry stoppa, le silence enveloppa l'univers. Mon cœur fit une pause. Très courte, mais suffisamment longue pour saisir ce qui était en train de lui arriver. Je voyais clair. Ma mise au point n'avait jamais aussi bien ramassé en une seule image, nette, vive, les superpositions d'Anna qui avaient embrouillé ma vie. J'étais sur le point d'accomplir un transfert d'énergie. Ce que j'avais entassé durant des années allait crever le ciel. Au milieu d'un tourbillon d'idées et de sensations, je visualisais cette scène d'un geyser délogeant, pulvérisant la tumeur de Rita et mon amour pour Anna. J'étais si troublé par cette vision que j'eus le réflexe de m'agenouiller dès que je touchai le sol de l'île, mimant un Christophe Colomb qui aurait découvert une Inde paradisiaque, royaume fleurant l'amour et les épices. Il n'était pas question que je descende au Zazil-Há Bojórquez. Je me contentai du modeste Rosario, simple hôtel de deux étages badigeonné d'un bleu joyeux, tout près de la jetée que je venais de quitter. Il ne donnait pas sur la mer, mais sur une minuscule cour intérieure où des chats jaunes attrapaient des mouches dans la poussière. Une cage d'oiseau flottait dans les airs, vide. Une petite table en osier, flanquée d'une chaise en plastique blanc, avait été placée à l'abri du soleil. C'est là que je m'assis et sirotai la limonade que j'avais commandée. La légèreté de mon réveil ne m'avait pas quitté, mais j'étais incapable de me décider à appeler Rita à son hôtel ou à m'y rendre directement. Je ne me voyais pas frapper à sa porte et lui dire : «Bonjour, Rita, je passais dans les environs et je me demandais si vous n'auriez pas envie que nous passions la soirée ensemble!»

Je me perdis un moment dans la contemplation de la cour. Je la trouvais belle malgré sa petitesse et son délabrement. Elle était un tableau, un poème, une symphonie. J'en faisais partie au même titre que la table, les murs, les chats. Je me levai machinalement de ma chaise et me dirigeai vers la cage d'oiseau. Du fer rongé. De petites crottes noires, séchées. Une plume verte. Qui sait? Les chats avaient peut-être dévoré l'oiseau? Un perroquet sans doute. Je passai la main dans la porte entrebâillée et saisis la plume. Il me sembla que toutes les années que j'avais vécues ne s'étaient écoulées que pour me conduire devant cette cage et cette unique plume verte. Ma vie avait été un labyrinthe. Je venais d'en sortir et, sans savoir comment et pourquoi, je débouchais sur cette cour, perdue au cœur d'une île, elle-même perdue dans la mer des Caraïbes. Je compris que j'étais venu à Isla Mujeres pour devenir un homme. Pourquoi avoir pensé que les chats avaient mangé l'oiseau ? Il s'était libéré de sa cage et à présent il volait !

Je partis explorer l'île. Au premier coin de rue en sortant de l'hôtel Rosario, je tombai sur une petite boutique de location de motocyclettes. Un jeune garçon m'entreprit aussitôt. Je n'étais jamais monté sur une motocyclette. Je me laissai convaincre facilement par le jeune garçon qui, en cinq minutes et en espagnol, me donna une leçon de conduite. Après avoir reçu de ma part une avance, il me remit les clefs et me quitta pour un autre client qu'il venait de repérer. Je n'avais rien saisi de ses explications. Je m'emparai des guidons, fis tourner les poignées : à droite, celle des gaz, à gauche, celle de l'embrayage. À moins que ce ne soit l'inverse ? L'essentiel était de savoir utiliser les freins. Quand je tournai la clef, que j'entendis la première pétarade, une raideur s'empara de ma nuque, une force nouvelle trempa mon regard dans l'acier. Le moteur grondait entre mes cuisses. Si Anna pouvait me voir, me dis-je, lâchant les freins pour la première fois !

Je pris la direction du port. Je voulais fuir les petites rues achalandées. Je me fis la réflexion qu'étant sur une île, je ne pouvais pas me perdre. Je partis à l'aventure. Je longeai la côte, je regardai droit devant moi. La route quitta le littoral, obliqua légèrement vers les terres. J'étais juché sur une motocyclette et je m'enfonçais dans la jungle ! Le vent me frappait avec la suavité d'une caresse, la chaleur d'un souffle humain. Jamais je n'avais ressenti pareille sensation de liberté, de bonheur, d'intrépidité. La route zigzaguait entre les cocotiers et les rochers. Je croyais m'envoler. Des larmes multipliaient ma vision. Léger, léger comme la plume verte du perroquet! J'augmentai la vitesse, je plissai les yeux pour mieux voir la dérobade du paysage, réduit à un fouillis lumineux de couleurs. Rien que des taches. Des taches vertes et des taches d'azur! J'augmentai encore la vitesse. Le fantôme de ma bicyclette me visita. Je n'avais plus enfourché d'engin à deux roues depuis la nuit où, sur la plage de Percé, j'avais démantelé ma Peugeot bien-aimée. Je criais le nom d'Éva à pleins poumons quand, après un tournant acrobatique, la mer apparut au loin. Je freinai dans un nuage de poussière. Je descendis de la moto et avançai, les jambes arquées, vers un petit promontoire.

Il fallait être un dieu pour contempler autant de beauté sans frémir. La mer étincelait, incendiée. Le silence concassait sa surface en losanges d'or et d'émeraude. Deux voiliers blancs glissaient vers l'infini, gravant une ligne d'écume sous leur coque. Je venais de découvrir l'éternité. Je m'assis sur le sol. Je me relevai aussitôt. Il était brûlant. J'allai m'adosser contre une grosse pierre. Je laissai mon regard voguer vers l'horizon. Un petit animal déguerpit d'entre mes jambes : un lézard. Il s'était immobilisé à quelques mètres de mes pieds. Je me mis à quatre pattes. En faisant le moins de bruit possible, je m'avançai dans cette position vers l'animal. Il tenait dans sa gueule un papillon qu'il déchiquetait avec des bruits secs. Les ailes du papillon, spasmes de bleu et de jaune, disparaissaient par saccades dans le vert cru du lézard. Un sentiment d'urgence m'envahit. Je me levai d'un bond, faisant fuir le reptile. Je devais trouver Rita sur-le-champ. Chaque seconde comptait. Mon adversaire ne prenait aucun repos, avançait millimètre par millimètre vers son but ultime. Je prenais conscience de l'enjeu réel de ma présence sur cette île. Il s'agissait de sauver Rita de la *mort*. Je sautai sur ma moto. Je dus en redescendre aussitôt. Je m'étais brûlé les fesses sur la selle chauffée par le soleil. Je poussai la moto vers la grosse pierre où je m'étais assis, le seul endroit dans les environs qui procurait un peu d'ombre. Je grimpai sur le rocher d'où je pus constater que je n'étais qu'à un ou deux kilomètres du bout de l'île. Sur la pointe était érigé un temple, sans doute un de ces nombreux temples dédiés à la fertilité, comme l'avait indiqué mon guide du Yucatán. Je décidai de m'y rendre. Le présent était un tapis roulant. Je n'avais qu'à me laisser promener. Je baissai les yeux sur la moto. Je la baptisai du nom d'Adamo. Cette moto faisait partie des nombreuses pièces qui mettaient en branle mon destin. Elle méritait un nom. J'allai vérifier l'état de la selle. Le cuir chauffait toujours. Je soufflai, battis des mains. Convaincu de l'inutilité de mes efforts de refroidissement, j'enlevai ma chemise, la plaçai sur la selle et repris la route, tanguant dangereusement d'une fesse à l'autre.

Quelques minutes plus tard, je me garais à l'ombre d'un minibus stoppé par la fin de la route, frangée de sable et de broussaille. Trois mètres plus loin, une pente caillouteuse menait au temple. Intrigué, je fis le tour du minibus. Sur sa portière était imprimé en grosses lettres rouges « Zazil-Há Bojórquez » : l'hôtel de Rita ! Elle était dans les parages. J'en étais convaincu.

Je gravis la pente et très vite arrivai au sommet d'un petit plateau qui débouchait sur le vide. Un amas de ruines longeait le précipice. Un groupe d'une dizaine de personnes écoutait un guide. Un jeune homme prenait des photos avec un Polaroïd, juché sur les restes d'un escalier envahi par les herbes. Pas de traces de Rita.

J'avançai sans me faire voir près d'une colonne de pierre dont les blocs s'étaient démembrés sur le sol. J'entendais clairement les explications du guide qui s'exprimait en français avec un accent espagnol. Je scrutais le visage des femmes. Mon front dégouttait de sueur.

— Il y a plusieurs hypothèses. Il y a toujours plusieurs hypothèses. Parce que le temple a été construit sur une falaise à l'extrémité de l'île, on pense qu'il a pu servir d'observatoire. À ce sujet, il y a trois hypothèses. *Uno*: l'observatoire recueillait des informations météorologiques; *dos*: l'observatoire recueillait des informations astronomiques; *tres*: l'observatoire recueillait les deux types d'informations. Des fouilles récentes ont soulevé d'autres hypothèses. Je vous l'ai dit: il y a toujours beaucoup d'hypothèses. Si vous voulez me suivre.

Le guide, s'entourant d'une bulle de mystère, se dirigea vers le bord de la falaise. Le groupe, bien sagement, le suivit. Le jeune photographe descendit de son perchoir et rejoignit les autres. Je m'approchai, glissant le long des blocs. J'entendais le bruit des vagues.

— Les fouilles n'ont pas été entreprises sur le site du temple, mais ici!

Le guide, dans un geste théâtral, lança sa cigarette dans le vide. Toutes les têtes se penchèrent en même temps vers ce que je ne pouvais voir, mais imaginais être un abîme. Une sexagénaire s'éloigna en répétant qu'elle souffrait de vertige. Le guide, content de l'électricité qui avait crispé l'air, poursuivit ses explications.

— Observez s'il vous plaît la paroi rocheuse qui s'étend d'ici jusqu'en bas, sur la grève. Placez-vous de biais, comme ceci, et regardez bien. À quoi vous fait-elle penser?

Un moment de silence statufia le groupe. Puis les plus courageux se penchèrent et scrutèrent l'escarpement. Le guide souriait, passait en revue les visages au travail.

— Un aigle!

C'était le jeune photographe qui venait de s'exclamer de la sorte. Le guide applaudit.

— Bravo! C'est en constatant que la falaise ressemblait au profil d'un aigle qu'un archéologue allemand entreprit des fouilles sur la grève.

J'eus envie de sortir de ma cachette et de lui demander pourquoi cet archéologue avait eu pareille idée, mais le jeune homme le fit pour moi. Le guide se retourna dans une volte-face dramatique, étendit un bras que le groupe, comme une seule tête, suivit du regard.

— Regardez là-bas. Vous pouvez reconnaître les marches d'un escalier conduisant à l'entrée du temple. Une plate-forme y avait été aménagée où, sur la pierre des sacrifices, on immolait des victimes qu'on jetait, après leur avoir arraché le cœur, en bas des escaliers. On appelait la pierre des sacrifices *quauhxicalli*.

Le guide ménagea une pause, puis répéta: « *Quauhxicalli*, qui veut dire... »

— La pierre de l'Aigle.

Rita venait de répondre à la question du guide. Elle avait émergé, telle une apparition divine, des pierres amoncelés devant les vestiges de l'escalier. Elle portait un chapeau de paille qui plongeait son visage dans l'ombre. Le guide alla la rejoindre, aussitôt suivi du groupe. Il se pencha à ses pieds.

— Ici, exactement sous vos pieds, se trouvait une large pierre plate. Elle existe toujours. Vous pouvez la

voir au Musée national d'anthropologie de Mexico. À
ce sujet, il existe plusieurs hypothèses. *Uno...*
Le guide continuait ses explications, mais je n'étais
plus en mesure de les entendre. Les battements de mon
cœur les enterraient. J'observais Rita. Cette femme, si
droite, si fière, allait mourir. Rien, dans son allure, ne
l'indiquait. Devant tant de courage, je sentis le mien
diminuer. Mon entreprise de sauvetage m'apparut
disproportionnée, aberrante. Par quelle orgueilleuse lo-
gique pouvais-je croire que ce que j'appelais béatement
«mon amour» recelait l'antidote à une tumeur que la
quincaillerie la plus sophistiquée de la médecine n'égra-
tignait même pas? La légèreté venait de m'abandonner.
J'allais retourner à l'hôtel avec l'idée de quitter l'île au
plus vite quand je vis le groupe se déplacer de nouveau
vers le bord de la falaise. Je pouvais mieux voir le visage
de Rita. Je percevais, sous les traits de l'adulte, la fillette
qu'elle avait été. Je distinguais un peu de salive coincée
entre ses lèvres. Étrange Rita. Quel était son véritable
nom? Juliette? Anaïs? Ruth? Claire? Monique? Quel
que soit son nom, je me dis que Rita était celui qui lui
convenait le mieux. Elle parlait au guide. Je prêtai à
nouveau l'oreille.

— La falaise était donc sacrée?

— Il y a deux hypothèses à ce sujet. *Uno*: le temple
était considéré comme le prolongement de la falaise;
dos: la falaise était considérée comme le prolongement
du temple. Mais les deux hypothèses donnent les mêmes
conclusions.

— Ce qui veut dire?

— Les victimes étaient jetées dans le vide. La falaise
de l'Aigle, comme on pense qu'elle fut appelée, constituait un gigantesque escalier naturel. C'est pourquoi

l'archéologue allemand eut l'idée d'entreprendre des fouilles au pied de cette falaise. En excavant jusqu'à dix mètres de profondeur, il trouva ce qu'il cherchait.

— Une autre pierre *quauhxicalli*?

— Pas du tout, jeune homme.

— Les victimes?

— Vous avez raison, *Señora*. L'archéologue mit au jour des centaines de squelettes. Des expertises ont démontré que tous les squelettes étaient ceux de jeunes hommes. Si vous voulez bien me suivre.

J'étais furieux. Pendant les dernières explications du guide, Rita et le jeune photographe n'avaient pas cessé de flirter. Ils étaient passés de l'œillade discrète au frôlement suggestif. Le guide avait dirigé le groupe vers une stèle couverte d'inscriptions. Ils se tenaient trop loin pour que je distingue leurs paroles. Plusieurs s'étaient accroupis autour du monument. Rita avait offert une cigarette au jeune photographe qui l'avait acceptée. Ce geste m'avait rendu fou. Je l'entendais encore me dire sur la plage: «Vous ne fumez pas? Un jeune homme comme vous ne fume pas.» Mais elle n'avait pas hésité à offrir une cigarette à cet adolescent imberbe aux cheveux longs qui maniait son minable Polaroïd comme un aveugle doublé d'un manchot. Qui croyait-elle que j'étais? Un enfant? Un incapable?

Je partis comme une flèche vers la moto, les poings serrés. J'écumais de rage: «Elle flirte avec quelqu'un qui pourrait être son fils! Elle va crever dans quelques heures, dans quelques minutes, et elle ne pense qu'à inciter des garçons sans expérience à fumer! Et elle est mariée en plus! Et en voyage de noces! Anna, Anna, peux-tu imaginer un être plus naïf que moi? J'étais sur le point de lui donner tout mon amour. Eh bien, je le lui donnerai de force. Pourquoi dois-je m'incliner devant un adolescent qui vient de découvrir que John Lennon faisait partie des Beatles? Il porte les cheveux longs pour camoufler le vide de son front! Alfred m'a prévenu: peu avant la fin, Rita sera en proie à de violents désirs. J'en ai la preuve. La fin approche. Il faut faire vite.» Sans reprendre mon souffle, je démarrai la moto. Je réussis à gravir la bande étroite de cailloux qui débouchait sur le site archéologique où, auréolé d'un nuage de bruit et de poussière, je fis mon apparition. Je cherchai des yeux Rita. Le groupe de touristes était encore agglutiné autour de la stèle. Je bourdonnais dans l'air sec, j'irradiais comme si mon corps portait une armure de métal pur et brillant. C'est du moins l'impression que j'avais quand j'aperçus Rita, flanquée du jeune garçon au Polaroïd. Ils étaient retournés en haut de l'escalier en ruine. Rita se tenait sur l'emplacement de la pierre de l'Aigle et souriait à l'adolescent qui la photographiait. J'agrippai les guidons de la moto comme deux cornes de taureau. Je donnai un puissant coup de gaz. La moto hurla, laboura le sol. Tous les regards se retournèrent vers moi. Malgré la vitesse, malgré la lumière blanche du soleil surexposant le paysage qui défilait, mon cerveau survolté enregistrait les moindres détails que mes yeux lui rapportaient. Je vis très bien le guide me faire signe de stopper. Je ne distinguais pas ses paroles, mais je vis, sur son visage, l'étonnement, puis la stupéfaction. Je vis le groupe de touristes s'éparpiller pour se protéger derrière des blocs de pierre. Je vis que Rita, la main en visière sous le rebord de son chapeau, ne reconnaissait pas celui qu'elle avait sauvé de la noyade dans la silhouette énergique du motard qui venait lui offrir son amour. J'allais, fier comme un jeune dieu, freiner au pied de l'escalier en ruine quand la moto se cambra. Un pan de ma chemise s'était pris dans la roue arrière. La moto se souleva avec une telle force qu'elle me projeta sur le sol. Elle continua à rouler et se précipita, avec la détermination d'un kamikaze, dans le vide. Elle flotta un court instant dans les airs, puis s'écrasa. Je m'évanouis avant de l'entendre se fracasser contre les rochers de la grève.

7

UN CIMETIÈRE DE SABLE

Le lendemain, quand Rita vint me voir à l'hôtel
Rosario, je buvais une Corona dans la petite cour intérieure, un collier orthopédique autour du cou. Il y
avait maintenant un perroquet dans la cage. Un affreux
perroquet miteux qui répétait sans arrêt *how-do-you-do-
very-well-thank-you-and-you-how-do-you-do-very-well-thank-you-
and-you...* Où donc étaient les chats?
J'avais passé la nuit au dispensaire d'Isla Mujeres.
Je venais à peine de m'endormir quand un infirmier
m'avait réveillé et m'avait fait comprendre que je pouvais retourner à mon hôtel. C'était l'aube. Je frissonnais.
Toute la nuit je m'étais cru mourant. L'œil fixe, aux
aguets, je m'étais veillé moi-même, passant en revue
les douleurs de mes articulations comme on compte
des moutons. Mon corps semblait ne plus être qu'une
enveloppe molle contenant, pêle-mêle, un paquet d'os
cassés. On avait placé près de ma tête un ventilateur qui
faisait un bruit d'hélicoptère. Il n'y avait pas de fenêtre.
J'avais l'impression d'avoir été relégué dans la partie
la plus sordide d'une morgue désaffectée. Des odeurs
de poisson frit et de désinfectant me parvenaient de
la porte entrebâillée d'où une lumière jaunâtre bavait
sur le plancher. Le diagnostic était clair: j'allais crever
à Isla Mujeres. Ce n'était pas le moment de dormir. Je

ne voulais pas mourir dans mon sommeil, glissant vers la mort comme une roche insouciante que des sables mouvants avalent. Je préférais utiliser, Anna dalle, le temps qui me restait à imaginer le tressaillement de ta lèvre à l'annonce de ma mort. Avec la loupe de l'anxiété, j'examinais le coin de tes yeux pour surprendre le jaillissement de tes larmes brûlantes. Je te voyais sauter d'un avion, harnachée à un parachute noir, portant mon deuil dans le ciel de Montréal. Je me suis endormi dans la douce monotonie de ta peine infinie, dans le cortège apaisant de tes visages affligés. Comme je t'ai aimée, Anna, cette nuit-là.

Après avoir quitté le dispensaire où j'avais cru passer ma dernière nuit, constatant que le soleil des Caraïbes s'était aussi levé pour ma petite personne endommagée qui déambulait dans les rues désertes d'Isla Mujeres, je fus saisi d'un bonheur sauvage. J'étirai mes bras endoloris et respirai l'air frais du matin. La légèreté ! La légèreté est verte ! C'est en chantant cette phrase que je me dirigeai vers l'hôtel Rosario, savourant chaque pas, chaque bouffée d'air, trouvant beau chaque déchet coincé entre deux pavés, chaque devanture de boutique, chaque enseigne de restaurant, étonné que tant de beauté puisse s'accumuler autour de moi.

De retour à ma chambre, cette euphorie matinale battit de l'aile devant l'image que le miroir de la salle de bains me renvoyait. Je commençai à regretter le cocon de fièvre et de confusion dans lequel j'avais mijoté, gisant sur le lit étroit du dispensaire. En examinant mon visage tuméfié, mes yeux vitreux, les événements de la veille refluèrent et s'imposèrent à mon esprit : j'avais loué une motocyclette, je l'avais baptisée et je l'avais précipitée dans le vide. J'allai me cacher sous les draps de mon lit. Pauvre Rita! Comment pourrais-je maintenant prétendre la sauver? J'irais sûrement en prison. Je mourrais incognito, mordu par des rats infectieux. Rita mourrait aussi.

Un coup de téléphone mit fin à mes jérémiades. C'était Rita. Elle avait appris que j'étais retourné à mon hôtel, hors de danger. Elle se proposait de venir me voir. Elle avait appelé au dispensaire toutes les heures pour prendre de mes nouvelles. En raccrochant, j'avais les larmes aux yeux. Rita, malgré son état, n'avait pas dormi de la nuit pour s'informer du banal accidenté que j'étais. Je me passai de l'eau dans le visage, pris trois aspirines, m'habillai avec un jeans propre, une chemise de coton à manches longues pour dissimuler les bleus sur mes bras, me rendis dans la petite cour de l'hôtel, commandai une Corona et attendis Rita en fixant mon esprit sur le *how-do-you-do-very-well-thank-you-and-you* du perroquet.

Quand je la vis arriver, je sentis dans mes veines une poussée d'amour. Je la voyais pour la première fois porter une robe, coupée dans un imprimé sauvage, entrelacs de fleurs, de lierre et de papillons. Elle avait rejeté ses cheveux derrière ses oreilles, tiré une légère ligne de crayon bleue sous ses yeux. Avant que je n'aie eu le temps de me lever pour la recevoir, elle s'était plantée devant moi pour m'offrir son visage où un sourire débordait de malice. Elle déposa un baiser frais sur mon front, m'examina et fut prise d'un fou rire qui dérégla le perroquet. Il se lançait dans sa cage comme le numéro gagnant d'un boulier de loto télévisée.

— Vous pouvez marcher?

— Bien sûr!

— Alors sortons d'ici!

Elle fit une grimace au perroquet en orbite, me prit la main et m'entraîna en riant. C'était la première fois que je touchais Rita. Sa main était chaude, légèrement moite. J'étais incapable de trouver le premier mot à une phrase intelligente. Tout ce que j'avais dans la tête se réduisait à « *How do you do, Rita ?* » Je me résignai à me laisser promener dans les ruelles inondées de soleil. À l'allure où elle marchait, j'en déduisis que Rita savait où elle allait. Nous avions remonté une rue piétonnière pavoisée de grappes de t-shirts et de colliers de coquillages roses. À chacun de mes pas, un élancement cognait dans mon crâne. Je repensais au labyrinthe. N'étais-je pas, guidé par la main ferme de Rita, en train d'en trouver la sortie ? Quelque chose de beau, d'irrémédiable allait se produire dans ma vie.

Nous avions quitté très vite le centre touristique. Au détour d'une rue, nous nous étions retrouvés au milieu de nulle part. Dans une bulle de silence qui grésillait. Rita avait ralenti son élan. Nous marchions dans une rue large, jaune, ensablée. Un mur, sur notre gauche, la longeait. Le silence de cette rue n'était rien d'autre que le bruit de la mer qui nous parvenait par-delà le mur. La fin de l'île, l'une de ses innombrables fins, n'était pas loin. Rita semblait heureuse, élastique. Elle ne marchait plus, elle flottait. Je regardais nos deux ombres, courtes, noires, que le soleil de midi rabattait sur les pavés. Rita me montra du doigt un chat sur le toit d'une maison. Il avait l'air seul au monde, survivant étonné d'un cataclysme universel. Où étaient passés les gens ? Tous les touristes acheteurs de t-shirts ? Je regardais les fenêtres bleues et poussiéreuses des maisons. J'essayais d'apercevoir, derrière les rideaux, une tête, un avant-bras, un regard. Personne.

— Pas trop fatigué ?

— Pas du tout !

Je mentais. Cette course dans la ville m'avait déshydraté.

— J'ai eu la peur de ma vie. Regardez.

Elle avait sorti une photo de son sac. Je l'examinai, heureux de trouver un prétexte pour m'immobiliser.

— C'est moi ?

— Vous exhalez un parfum de tragédie, et pourtant, quand je vous regarde, vous me donnez plutôt envie de rire.

— Qui a pris cette photo ?

— Quelqu'un. Un coup de chance : vous êtes tombé dans son cadrage comme un acrobate dans un filet.

La photo était saisissante. Elle avait été prise, de toute évidence, moins d'une seconde avant l'impact. Dans le coin inférieur droit, on voyait la pointe des guidons de la moto. Le reste du cadrage était occupé par mon corps projeté dans les airs. Ma tête disparaissait dans le coin supérieur gauche.

— Tout le monde vous a cru mort. Vous ne bougiez plus. Andy vous a fait le bouche-à-bouche.

— Andy ?

— Andy. Celui qui a pris la photo.

— Vous connaissez son nom ?

— Quel mal y a-t-il à cela ?

— Rien. Non, non, rien. Donc, il m'a donné le...

— ... le bouche-à-bouche. Vous avez ouvert les yeux. Vous avez regardé Andy. Vous avez voulu l'embrasser. Tout le groupe de l'hôtel observait la scène. Quand Andy s'est dégagé, vous avez marmonné un nom, puis vous vous êtes mis à crier : « Ne me quitte pas ! » et pouf, vous

93

vous êtes de nouveau évanoui. On vous a transporté jusqu'au minibus. Vous avez déliré pendant tout le trajet.

J'avais plié la photo en quatre et l'avais fourrée dans ma bouche. Un flot acide m'inondait la gorge, mes gencives se blessaient sur les bords tranchants des morceaux de plastique, mais je persistais à mastiquer ce cliché d'amateur. Quand je réussis à l'avaler, je pris conscience que le garçon au Polaroïd m'avait peut-être sauvé la vie. Une vague de culpabilité déferla de mon ventre jusqu'à mes lèvres. La photo refit surface. Je la crachai, morceau par morceau. Rita me prit la main vigoureusement et m'entraîna. Nous nous étions mis à courir le long du muret de pierre. Le soleil allumait une traînée de poudre sur les tessons de bouteille plantés dans sa crête. Rita me tira vers une entrée. Sans m'en rendre compte, je venais de franchir le portail d'un cimetière.

On aurait dit une ville miniature qu'une tempête de sable aurait ensevelie, ne laissant émerger que des pignons et des lucarnes. Ou encore une plage lunaire où des barques aveugles auraient échoué au fil des siècles. Il n'y avait pas d'allées, mais un fouillis de dalles, de niches bleues et roses. Rita se faufilait entre les tombes, réveillant le sable de sa léthargie. Elle m'amena près de la statue d'un ange dont l'index droit, posé sur ses lèvres, faisait « chut ! » tandis que le gauche, sûr de lui, pointait le ciel. Rita enleva ses sandales.

— Le sable, la mer, la mort. Avec votre minerve, vous avez autant de raideur et de dignité que cet ange. Venez près de lui. Vous ne trouvez pas que vous lui ressemblez ? Votre nez. Tournez-vous. Vous avez un profil grec d'une rare audace. Pas la moindre petite bosse. Une arête parfaite. Vous savez à quoi je pense ?

— Je ne sais jamais à quoi vous pensez. Vous êtes beaucoup trop vivante.

— Je pense que votre collier orthopédique vous donne beaucoup de charme.

J'avais rougi. Rita laissait échapper du sable entre ses doigts. Pensait-elle à sa mort prochaine?

— Pourquoi avez-vous fait cela?

— Fait quoi?

— Avalé la photo.

— Une réaction nerveuse.

Ma réponse avait imposé un silence théâtral. Rita continuait son jeu avec le sable. Elle s'était assise sur le coin d'une tombe, longue plaque dallée où était incrusté un livre en céramique. Sur la page de gauche, un nom et deux dates avaient été gravés. Sur la page de droite, un petit navire, comme on en faisait, enfant, en pliant du papier, flottait sur des flots dessinés de quelques traits. Au-dessus de ses voiles ondulaient ces mots dorés : « *siempre vivirás en nuestros corazones* ». Au pied du livre s'élevait une petite niche d'un bleu très pâle.

— On a envie de nager dans ce sable. De s'y enfoncer. Les morts de ce cimetière sont des coquillages. Posez doucement vos paumes sur le sable. Sentez le travail qui se fait là-dessous. La chair ne pourrit pas ici. Elle se transforme en corail, en nacre, en spirales infinies, en conques étincelantes.

Je comprenais pourquoi Rita m'avait traîné dans cet endroit. Elle se voyait déjà sous terre. Elle était venue dans ce cimetière ensablé, bordé par la mer, pour apprivoiser la mort. Je me jetai sur elle, avec toute la fougue dont j'étais capable vu les circonstances, pour la couvrir de baisers aussi brûlants que le sable. Elle fut si surprise de mon geste qu'elle se leva d'un bond. Je ratai ma cible et allai m'étendre de tout mon long, le nez sur le petit navire du livre. J'aurais voulu disparaître dans les pages de ce livre, le traverser, m'enfoncer des kilomètres sous terre. Une odeur de cigarette me ramena à la surface. Rita, debout, droite, fumait.

— Relevez-vous. Venez près de moi.

Je lui obéis comme un automate. Elle plongea ses yeux dans les miens.

— Vous avez eu une autre réaction nerveuse, je suppose.

— Rita, je vous désire.

Anna vestige, je jure que les yeux de Rita s'ouvrirent si démesurément que je vis son angoisse palpiter au fond d'elle-même. Je me jetai une autre fois sur elle. Nos deux corps roulèrent dans le sable parmi les tombes et les croix rouillées, les lampions et les pots de fleurs rongés par le sel.

Je voulus enlever mon jeans. J'allais tout lui donner. Mon amour la sauverait. Au moment où j'allais accomplir ce miracle, je reçus un coup sur la tête. Je sombrai dans le néant. Quand je revins à moi, un ange me fixait. J'enlevai le sable qui me piquait les yeux. Je regardai de nouveau : je voyais bien un ange. J'en conclus que j'étais mort, monté au ciel et, à ma grande déception, pas du tout bienheureux. J'avais trop mal au crâne pour apprécier ce paradis impromptu.

— Huachi, Huachi... hou... hou...

L'ange me parlait même si ses lèvres demeuraient immobiles.

— Huachi, hou... hou... ça va, vous m'entendez ?

Je me relevai en m'appuyant sur les coudes. Je n'étais pas au ciel. Rita, assise devant moi, tenait sur ses cuisses la tête de l'ange. Je relevai la mienne. J'aperçus, juste au-dessus de moi, le corps décapité de la statue.

— Je vous l'avais dit qu'il vous ressemblait.

— Qui?

— Lui.

Rita me montra la tête de l'ange. Elle pleurait.

— Vous possédez la tête la plus dure que je connaisse.

Ses larmes silencieuses coulaient plus nombreuses. Ce n'était plus la même femme.

— J'ai beaucoup de choses à vous dire.

La mer, proche, grondait. Rita serrait contre son ventre la tête de l'ange. Elle voulait sans doute me parler de sa maladie. J'étais sur le point de lui dire : « Ce n'est pas la peine, Rita, votre mari m'a tout expliqué », quand elle me regarda avec détermination.

— Pouvez-vous vous tourner?

— Pardon?

— J'aimerais vous montrer quelque chose. Juste derrière votre dos.

J'étais adossé au socle de la statue. Je me tournai.

— Vous pouvez lire l'épitaphe?

Je balayai de la main le sable accumulé sur la plaque de marbre. Je fis surgir peu à peu des lettres dorées. Je me reculai pour mieux lire : « Un ange s'est envolé. » C'était écrit en français. Un nom avait été gravé au-dessous de cette phrase. Je ne pouvais voir que la partie supérieure des lettres. Je plongeai mes mains dans le sable et dégageai le socle jusqu'à sa base.

ALFRED LEIRIS

C'était le nom que je venais d'exhumer! Que venait faire, au cimetière d'Isla Mujeres, Alfred Leiris? Avait-il eu simplement le temps de mourir? M'avait-il envoyé son

97

étrange lettre pour me berner, pour me donner rendez-vous avec sa propre mort ? Affolé, j'ébauchais un fouillis d'hypothèses plus saugrenues les unes que les autres. Je me tournai vers Rita : qui était cette femme ?

— Rita, il faut absolument que vous me disiez...

— J'ai été folle de vous amener ici. Mais vous faites partie de ces êtres que le temps fabrique derrière les miroirs. Vous lui ressemblez tant !

— Je ressemble à qui ?

— À Alf !

— Alf ?

— Cet ange qui repose, là, dans le sable.

— Vous voulez dire que...

— Alfred a été enterré ici.

— Alfred ?

— Alf était un ange. Vous comprenez ?

— Je suis désolé, Rita, mais je ne comprends rien.

Des larmes coulèrent de nouveau sur ses joues. Je ne savais que dire, j'osais à peine bouger. J'attendais, le cou étranglé par ma minerve. On ne bouscule pas les larmes. Après un long moment, Rita se leva, s'alluma une cigarette, aspira trois bouffées d'affilée, jeta le mégot, observa la statue, imita sa pose : l'index gauche, levé, qui pointait le ciel, l'index droit, près des lèvres, qui faisait «chut!». Puis, lentement, elle abaissa l'index gauche qu'elle dirigea vers moi. Le bout de son doigt vint se planter sur mon cœur. Je voulus lui dire quelque chose, mais elle m'interrompit.

— Chut!... Il faut que vous me laissiez seule maintenant. Alf et moi avons beaucoup de choses à nous dire.

— Mais Rita...

— Chut!... Je vous expliquerai. Pas ici. Pas maintenant. Ce soir, sur la falaise, dans les ruines du temple. Venez me rejoindre vers minuit. Vous me le promettez? Vous viendrez? Vous le jurez sur votre cœur?

Je fis oui de la tête. Rita me sourit, m'aida à me relever. Avant de franchir le portail du cimetière, je me retournai. Rita était courbée sur la tête de l'ange. Elle m'apparut vieille. Fragile. Un papillon accroché dans les branches grises d'un arbre. Elle préparait ses adieux à la vie. Je longeai le mur du cimetière en direction de la mer. Sur la plage, je trouvai un abri de branches de palmier, planté sur quatre piquets. Je me réfugiai dans les limites du petit carré d'ombre qu'il parvenait à découper dans la blancheur impitoyable du sable. J'étais un naufragé du soleil et l'ombre faisait mon radeau. J'interrogeais la mer devant moi: «Pourquoi Rita m'a-t-elle donné rendez-vous au milieu de ces ruines? Qui est enterré près de la statue de l'ange? Qui est le vrai Alfred Leiris?» La mer ne voulait pas me répondre. De minuscules crabes, assommés de lumière, couraient autour de moi, s'enfouissaient dans le sable.

8

LA FALAISE DE L'AIGLE

Je passai le reste de la journée dans l'angoisse. Je bus bière sur bière dans la petite cour de l'hôtel Rosario. Je parlais au perroquet. Je m'étais pris d'affection pour lui. J'avais peur que des hommes en uniforme viennent m'arrêter. Je n'avais pas eu le courage de retourner à la boutique de location expliquer mon accident et déclarer la perte totale de la motocyclette. J'étais déchiré entre le désir de partir, de disparaître dans les plus brefs délais, d'effacer toute trace de ma venue sur le sol mexicain, et celui de retrouver Rita. Je repassais le fil des événements des derniers jours. Je ne pouvais m'empêcher d'imaginer une machination dont j'étais la victime. Alfred, Rita et les habitants d'Isla Mujeres ne formaient qu'une masse sombre qui s'était agglutinée pour me cerner de toutes parts. Je me levais comme une balle, allais fixer l'œil à tête d'épingle du perroquet, retournais m'asseoir en me traitant de paranoïaque.

Je me calmai un peu avec la tombée de la nuit. Un soupçon d'air frais essuya ma sueur et mes doutes. Je commandai une omelette, la plus nue possible. Je la mangeai, tapi dans l'ombre de ma chambre. Je regardai ma montre. Il restait cinq heures avant le rendez-vous. Finalement, je décidai de faire mes bagages et de partir à l'aube en me faisant le plus petit possible. Si je réussissais à changer mon billet d'avion à Cancún, je serais à Montréal dans deux jours. Dans mon esprit ballotté, Montréal se confondait avec Anna. Reprendre l'avion du retour, c'était atterrir directement dans ses bras. J'avais oublié que j'étais venu au Mexique pour fuir les tourments de ses refus. J'étais prêt à croire qu'elle serait à l'aéroport, les bras chargés de fleurs et les yeux chargés de regrets. En trois minutes, je bouclai mes valises, m'étendis sur le lit, fixai une mouche au plafond. « Et si j'étais maintenant handicapé ? » Je courus à la salle de bains. Je me plantai devant le miroir au-dessus du lavabo. « Peut-être n'ai-je plus de cou ? » Je retournai m'étendre sur le lit. Je n'avais pas osé enlever mon collier orthopédique. Je cherchai des yeux la mouche au plafond. Elle n'était plus là. Elle s'était envolée, pas moi.

Quand je me réveillai, je pesais une tonne. Et je n'avais aucune idée d'où pouvait se trouver cette tonne d'étonnement. Il faisait noir. Je roulai sur le plancher. Un minuscule point phosphorescent avançait sous mes yeux. J'observai ses déplacements saccadés qui formaient une ronde. Une montre ! C'était la mienne, les aiguilles marquaient vingt-trois heures. Le rendez-vous ! Je me relevai d'un bond. Je devais revoir Rita.

Quelques secondes plus tard, j'étais dans la rue, courant vers le quai. Je trouvai un taxi, baragouinai au chauffeur ensommeillé des explications exaltées qui mirent en marche le moteur de son auto.

Bien calé dans la banquette arrière, je souriais. Léger, léger comme la plume verte du perroquet ! J'avais retrouvé la légèreté dans le vent qui me parvenait de la glace abaissée de la portière. Un vent échappé de la nuit, venant de la mer, voleur de ses plus subtils parfums. Je ne valais pas plus qu'un chien dans une auto, mais la beauté du monde s'était donné le mot pour m'apparaître dans la puissance de sa simplicité. La lune! Jamais je n'avais vu une lune plus gonflée, plus effrontée que cette nuit-là. Selon les détours que l'auto prenait, elle apparaissait à l'improviste, me plongeant dans l'émerveillement. Comment pouvait-elle être si ronde, si charnelle, si laiteuse alors qu'à Montréal elle ne dépassait pas les dimensions d'un dix sous? Et cette lumière crayeuse qu'elle répandait! La terre scintillait et la mer brûlait dans une extase paisible. Le feuillage des arbres tanguait, passait du bleu au vert. La tête des palmiers, disséminés tels des lampadaires sauvages, baignait dans un halo pourpre. Des globes! Je frémissais.

Je regardai la nuque sombre du chauffeur. Cet inconnu était investi d'une mission. Il me conduisait au centre d'un mystère. Ses mains sur le volant, il prenait en charge mon destin. Je ne m'appartenais plus. Je refusais d'aller plus loin que mes yeux. Je n'interrogeais rien. Le taxi stoppa. Le chauffeur se tourna vers moi, me regarda, attendit. Je ne bronchai pas. Il haussa les épaules avec l'air de dire: «Alors?» Je jetai un coup d'œil: nous étions arrêtés à une jonction. Le chauffeur sortit de l'auto. Je le suivis. Il agitait son bras en répétant: «¿ *Por aquí o por acá* ?» Par ici ou par là? Je n'en savais rien. Comment me rappeler le chemin emprunté la veille pour me rendre au temple? Je l'avais fait de jour, au hasard, grisé par la vitesse de la motocyclette. Je ne reconnaissais rien.

— Moi, *yo* veux aller au *templo* tout en haut, là-bas, sur la *falaiso*, toi, *comprendo*?

— *El hotel Mariposa está aquí, el hotel Merida está acá. Dígame, Señor, ¿dónde quiere ir usted?*

Visiblement, le chauffeur n'avait pas saisi, au départ, mes indications. J'essayai plusieurs versions du

mot temple : *templa, templo, templaya, tenplayos, templar, templaras,* conjuguées avec autant de *falaisias, falaiyo* ou *falaisianos,* mais mon espagnol ne déclencha aucune réaction. Après plusieurs minutes de cet échange linguistique expérimental, il m'apparut évident que le chauffeur de taxi ne pouvait admettre qu'un touriste ait, à pareille heure, une autre destination que son hôtel. Je regardai ma montre : vingt-trois heures vingt-cinq. Je respirai profondément et me lançai dans une improvisation gestuelle frénétique. Voulant imiter l'éparpillement des ruines, je sautillai en agitant les bras avec l'espoir que mon observateur y verrait les secousses du temps démolir, avec l'acharnement d'un marteau-piqueur, les pierres épaisses d'un temple. Je ne réussis qu'à plonger le chauffeur de taxi dans la tristesse. Son visage prit les traits d'un chien qui compatit devant la détresse de la race humaine. Il crut sans doute que je venais d'être victime d'une crise d'épilepsie ou d'un accès de fièvre tropicale. Il pointait mon collier orthopédique, répétant des « *¡Pobrecito! ¡Qué pobrecito! ¡Tiene muchos problemas usted!* »
Vaincu, je laissai tomber mes bras. Minuit approchait. Il fallait être inventif, sinon génial. Je me rappelai les explications du guide concernant la falaise, sa signification et son utilisation. J'embrayai sur un autre scénario. Je m'emparai d'un couteau imaginaire, me le plantai dans la poitrine, l'en ressortit, un cœur frétillant au bout. Puis, découpant du revers de la main les marches d'un escalier, j'y fis monter un petit bonhomme pour le faire dégringoler aussitôt. J'imitai, les mains jointes au-dessus de la tête, le plongeon de la mort qui trouva son apothéose dans un plouf sonore. Je conclus par un mouvement d'ondulation des mains qui s'estompa dans une ligne silencieuse, invisible. La victime, jetée du haut

de la falaise, avait été engloutie dans les flots de la mer. Le chauffeur du taxi se frappa le front.

— ¡Entiendo, entiendo muy bien!

Dans un geste de victoire, le chauffeur m'indiquait l'embranchement de gauche. Je retournai m'asseoir dans l'auto en criant des *pronto, pronto.* Quelques minutes plus tard, le chauffeur donna un coup de frein devant une imposante grille de fer forgé, bordée de bosquets cisaillés en forme de lionceau. Où étions-nous ? Le chauffeur, sorti de l'auto, criait des *¡hola! ¡hola!* Je le rejoignis pour le faire taire. J'étais plutôt énervé et commençais à trouver que prendre rendez-vous avec son destin demandait beaucoup d'organisation. Le chauffeur criait de plus belle. Je l'agrippais, le tirais vers l'auto pour qu'il redémarre. Il s'obstinait à retourner à la grille et à appeler je ne sais qui. Une voix, au loin, lui répondit. Le chauffeur se tourna vers moi avec un sourire de satisfaction. Il se mit à battre des bras, à éclabousser le vide, à se secouer comme un chien mouillé. Je voyais bien qu'il imitait ma propre imitation, mais je ne comprenais pas où il voulait en venir. Un homme s'approcha de la grille. Il y eut une discussion. Il ouvrit la grille. Le chauffeur m'entraîna à sa suite. Il me fit suivre une allée de gravier, éclairée par des lanternes nichées dans des buissons exotiques. Et sans crier gare, au tournant d'une rangée de cactus géants, il me poussa devant une piscine en forme de fer à cheval. Fier de lui, le chauffeur me pointa du doigt un plongeoir d'au moins dix mètres de haut, totem énigmatique luisant dans l'indifférence. Que s'était-il imaginé ? Qu'en pleine nuit, pris d'une irrésistible envie d'exécuter des vrilles et des sauts de carpe, j'étais parti à la recherche du plongeoir de ma vie !

— *Señor, el hotel Mariposa tiene una alberca divina.*
¡Mira, mira, es una maravilla!
— *No, no,* pas hôtel, pas *piscina, yo* veux...
À quoi bon discuter encore? Je repartis vers le petit sentier bordé de lanternes, mais au lieu de retrouver la grille de fer forgé, je débouchai sur un court de tennis entouré de tables et de parasols avec, en arrière-plan, la façade majestueuse d'un hôtel. Devant brillaient, alignées sur un portail voûté, des lettres au néon : MARIPOSA. Je m'étais égaré. Je rebroussai chemin avec la plus grande précaution, surveillant chaque mètre carré d'espace traversé. Je fus soulagé de retrouver la piscine. Ni le chauffeur de taxi ni l'homme qui avait ouvert la grille ne se trouvaient là. Je me penchai sur l'eau et scrutai le fond de la piscine comme si c'était l'endroit idéal pour un chauffeur de taxi pour attendre son client. Je vis mon reflet et celui de la lune. Deux ronds. Ce fut plus fort que moi, j'en profitai pour m'adresser au fantôme de quatre lettres : « Je suis un chien, je tremble parce que je ne connais rien, chacun de mes pas augmente le mensonge que je promène sur cette terre, qu'est-ce que je suis venu faire au Mexique, Anna lune, je t'entends rire sous l'eau, pourquoi ne me suis-je pas contenté de photographier les baleines du Saguenay... » Un crissement de pneus interrompit mes divagations. Le taxi ! Je courus. Sans savoir où j'allais, je débouchai sur la grille d'entrée. J'aperçus le taxi qui s'éloignait. J'étais à bout de souffle. Je criais « *¡Hola!* taxi ! taxi ! *¡stoppo!* » Le taxi s'arrêta. Je me traînai jusqu'à lui, m'engouffrai à l'intérieur. Le chauffeur redémarra en m'interpellant :
— *¿Qué pasó? ¿Dónde estuviste?*
Il avait cru que je m'étais éclipsé sans payer. Il n'était pas tout à fait dans son assiette. Et moi, de mon

côté, je montrais des signes d'impatience. Minuit approchait et j'avais l'impression que le chauffeur se dirigeait vers un autre hôtel avec piscine et court de tennis et qu'après celui-ci, il y en aurait un autre et un autre... La perspective de passer la nuit à rebondir comme une boule de billard me fit monter le sang à la tête. Je me mis à hurler. Le chauffeur stoppa. Je sortis un paquet de pesos que je lui lançai au visage et m'éjectai du taxi comme si j'avais le feu aux trousses. Le chauffeur, sans ramasser l'argent, fila en me criant des mots qui se passaient aisément de sous-titre. J'étais seul. Seul dans la nuit mexicaine avec ma grosse tête de scaphandre sur mes épaules désemparées.

Je scrutai le ciel trop calme. Je m'assis au milieu de la route. Il était minuit moins vingt. Je passai mes deux paumes sur l'asphalte tiède et doux. Il donnait envie de s'étendre, d'oublier et d'attendre que des pneus vous écrasent. Ce n'était pas le moment. Rita m'attendait, tout près sans doute.

Décidé, intrépide, je me levai, quittai la route et, confiant dans la boussole de mon corps, m'enfonçai courageusement dans des buissons. Je butai très vite contre un paquet de racines et m'affalai de tout mon long, face contre terre. Je me relevai pour aussitôt me cogner la tête contre une branche. Je tombai de nouveau mais cette fois-ci, sur le dos. Une petite ampoule jaune vacilla, faiblit, puis s'éteignit. J'étais mort.

J'en profitai pour rêver. Anna voile, je rêvai un rêve que tu avais fait. Comme toi, j'étais sur un navire. Il rétrécit. Je me retrouvai sur un minuscule radeau que les vagues s'amusaient à soulever. Comme toi, pour ne plus voir les vagues, je me couchai sur le dos, fixai le soleil. Comme toi, je commençai à disparaître. À fondre jusqu'au moment où un papillon se posa sur mon nez. Je me réveillai. Un papillon, effectivement, s'était posé sur mon nez. Je battis des paupières. Il s'envola. Je regardai ma montre. Le verre avait été fracassé dans ma chute, mais l'aiguille des secondes avançait toujours : minuit moins une. Je ne serais pas à l'heure au rendez-vous de Rita. Je perdis la dernière minute à regarder la grande aiguille de ma montre recouvrir complètement la petite : minuit. Voilà. Que faire maintenant ? Je me tournai vers la lune. Je m'adressai à son œil blanc : « J'ai l'âme d'un chien errant. J'ai beau hurler, lancer ma plainte, ton halo, impavide, ne frissonne pas. Lune d'Isla Mujeres, prends-moi en photo et envoie le négatif à Anna. Qu'elle sache qu'un chien perdu dans les Caraïbes, avec tes reflets au fond de ses prunelles, pense à elle ! »

Je n'avais pas terminé mon vœu que la lune se froissa comme du papier de soie. Elle se déchira en morceaux qui se mirent à voleter dans tous les sens : un nuage de papillons venait d'envahir le ciel. L'essaim étirait dans la nuit un flash coloré, comme une traînée de poudre. Je courus après. Je dévalai un sentier, contournai un amas de rochers qui abritait une crique. Je me retrouvai sur une plage, enclave de sable mauve scintillant sous la lune. Je vis disparaître les papillons derrière un roc. La phosphorescence de leurs ailes avait tracé dans le ciel un chemin de lumière.

Je me déshabillai. Je fis un baluchon de mes vêtements et le nouai autour de mes reins. J'avançai dans la mer, à la recherche des papillons. La lune faisait si bien son travail que je pouvais apercevoir de minuscules poissons striés bleu et citron. Je nageais tantôt en grenouille tantôt en chien à cause de ma minerve.

Je réussis à dépasser la pointe de la crique. Je m'assis dans l'eau pour reprendre mon souffle et examinai les lieux : pas de papillons, mais une autre crique. Fallait-il tout recommencer ? Je me levai. Je retombai aussitôt dans l'eau. Je venais d'apercevoir une masse sombre, longue, stationnée sous l'eau, à peine recouverte par les vagues qui passaient dessus sans l'impressionner. Un gros poisson ? Pas un requin, je ne voyais pas d'aileron. La chose ne bronchait pas. Je fis un pas vers elle. Puis un autre. Je reconnus Adamo, ma moto. J'avais retrouvé la falaise ! Je levai aussitôt les yeux. Rita devait m'attendre là-haut, parmi les ruines du temple.

Je sortis de l'eau. Je tordis mes vêtements, mes pesos, mes *runnings*. Comment grimper là-haut ? La falaise de l'Aigle : son nom me revint aux lèvres. J'essayai de discerner dans la masse rocheuse le port altier d'un rapace ou l'envergure d'une paire d'ailes déployées. Rien. Que du roc. J'appelai Rita. Je criai son nom plusieurs fois avec l'espoir que sa tête, là-haut, apparaisse. Personne. Je me plaçai alors de côté. Ma voix aurait peut-être plus de chances de porter. Je criai de nouveau. Pas de Rita. Mais un aigle. Je distinguais son profil : la tête, l'œil, le bec crochu. Je n'avais qu'à déplacer l'angle de mon regard pour que cette apparition s'annule dans le fouillis naturel de la falaise. Le guide n'avait-il pas dit que celle-ci constituait un escalier naturel qui prolongeait celui du temple ? L'eau dégoulinant de mon boxer, je partis à la conquête de l'aigle.

Après l'escalade de ses griffes, je débouchai sur un chemin fait d'éboulements et de fissures, de pics et de failles. Je pris de la hauteur. J'avais la chair de poule. Une brise puissante, venant des courants marins, soufflait. J'aperçus plus haut une protubérance qui s'élançait dans le vide : le bec de l'aigle. Je devais donc me trouver à la hauteur de sa poitrine. Une bouffée d'amour m'envahit. Pour moi-même. La pensée qu'un mouvement mal assuré de la main ou du pied me ferait partager le sort d'Adamo me rendit, à mes propres yeux, précieux. Mes doigts saignaient, mes jambes griffées tremblaient, je grimpais, je grimpais. La douleur transformait ma volonté en acharnement. J'atteignis à bout de souffle le tremplin rocheux du bec. Je ne pouvais monter plus haut. Mon ascension m'avait conduit devant l'entrée d'une caverne : l'œil.

Je n'avais pas le choix. C'était descendre ou entrer. Je risquai un pas à l'intérieur de la caverne. Tout de suite, je fus sujet à une hallucination olfactive. Comme si une fleur m'avait sauté au nez. Je pénétrai plus avant, tâtant le sol du bout du pied, craignant trappe ou trou qui m'aurait illico englouti. Le parfum persistait. J'imaginais une fleur grasse, évanouie sous ses lourds pétales. Les ténèbres s'épaississaient, je disparaissais. Je toussai hypocritement pour vérifier si quelqu'un pouvait m'entendre. Je toussai un cran plus fort. Personne. Je me retournai. La clarté lunaire, qui vacillait aux abords de la caverne, s'était dissipée. J'étais au cœur du noir. Je m'étais enfoncé dans un entonnoir de pierre. Je fis encore quelques pas, frôlant le roc avec mon corps. Je me cognai. Fin.

Sans l'avoir cherché, j'avais trouvé la fin du monde. Et l'asphyxie. Je m'en rendais compte à présent : je manquais d'air. Je voulus me diriger vers la sortie. Impossible. Les parois se seraient-elles refermées sur moi ? Je fis plusieurs fois le tour sur moi-même avant de retrouver le passage qui me remit en direction de la sortie. Je me calmai. Une bouffée de parfum me parvint de nouveau.

Pas de doute possible, ces effluves venaient du fond de la grotte. Je ne comprenais plus rien. Hallucination? Mon nez persistait à dire non. Ce parfum avait bien une origine. Avais-je vraiment été au bout? Il me semblait que oui. Je repris ma marche vers la sortie. C'est alors que je reconnus ce parfum : Rita portait le même lors du repas de *huachinango*. Capter ce parfum dans l'obscurité en avait décuplé l'arôme, alourdi les vapeurs. C'était bel et bien celui de Rita.

Le nez en alerte, je retournai sur mes pas et plongeai une seconde fois dans le gouffre de la grotte. Aux aguets, je cherchais une faille qui m'aurait échappé. Je me butai finalement au même cul-de-sac. Je me concentrai sur le parfum. Il venait par vagues irrégulières, stagnait, s'évaporait, déferlait à nouveau. Pourquoi n'y avais-je pas pensé plus tôt? Je levai la tête. Une faible lueur, à peine perceptible, délayait les ténèbres au-dessus de ma tête. Le parfum ne montait pas mais descendait! J'étirai les bras vers le haut : mes mains découvrirent une ouverture. Je me hissai sur le bout des orteils et réussis à m'introduire la tête à l'intérieur. En poussant avec mes pieds, je me faufilai péniblement dans l'ouverture étroite, grimpant vers cette feuille pâle de lumière, six mètres plus haut. Exténué, je sortis ma tête du noir et du roc. Je me retrouvai face à face avec moi-même. Mon visage me regardait. L'ange du cimetière d'Isla Mujeres!

9

LE SACRIFICE

Je m'extirpai de l'ouverture. Je venais d'entrer dans une caverne, vaste, arrondie, travaillée, dont le sol avait été aplani. La tête de l'ange, au centre, irradiait une présence douce. Qui l'avait apportée jusqu'au cœur de la falaise? Rita, qui d'autre? Posée sur le sol, elle baignait dans la lumière de plusieurs bougies, animée par le vacillement des ombres. J'avais le sentiment d'être chez un ami en son absence. Je m'agenouillai. Alf, Alfred? L'ange n'avait pas l'air de vouloir me répondre. Il avait gardé l'index droit qui, posé sur ses lèvres, faisait plus que jamais «chut!».

J'appelai Rita. Je n'obtins comme réponse que l'écho de ma voix. Son parfum pourtant rôdait comme un fantôme. Je pris une bougie et me levai. J'explorai les lieux. Je devais me trouver dans la partie qui correspondait au cerveau de l'aigle. Cette grotte était son crâne. J'observai la flamme de la bougie. Elle penchait toujours dans la même direction. Je me trouvais dans un courant d'air. Je me dirigeai dans le sens opposé. La grotte, que j'avais crue ronde, s'allongeait et rétrécissait en un couloir qui s'incurvait légèrement. Je le longeai et aperçus, au fond, un rai de lumière qui tombait à pic sur un escalier sculpté dans la pierre: la sortie. Je courus et gravis les marches comme si elles me conduisaient au cœur de la vérité. Je pensai à la phrase d'Alfred Leiris : « Une fleur, vous comprenez, une fleur qui pousse inéluctablement. Le destin. » La lune apparut. J'entrai dans la nuit claire. Je venais d'émerger des ruines du temple, là même où, la veille, j'avais vu apparaître Rita, portant un chapeau de paille. En contrebas, je reconnaissais l'emplacement de la pierre de l'Aigle et les vestiges de l'escalier qui descendait jusqu'à la falaise. J'aperçus une forme blanche flotter sur la pointe extrême du roc. Deux grandes ailes semblaient sur le point de s'élancer dans le vide. Rita se suicidait sous mes yeux ! Je dévalai les pierres, courus, courus, les bras devant moi comme s'ils pouvaient s'allonger indéfiniment et la rattraper dans le vide !

— Attendez ! Je suis là ! Vous voyez, je suis venu au rendez-vous ! Rita...

Je pensais à son désespoir, à cette maladie qui la rongeait. À ses mots fabuleux qu'elle seule avait le don de prononcer. Je criais ces autres mots que j'espérais voir se transformer en filet :

— Je vous aime !

— Vous êtes en retard.

Elle s'était retournée, quittant des yeux l'abîme. Je l'attrapai et la serrai contre moi.

— Mais vous tremblez, Huachi !

— J'ai eu si peur que vous...

— Vous avez cru que je voulais... mais ne précipitez pas les choses et, surtout, ne les confondez pas.

Son parfum, cruel, m'étourdissait. Elle m'avait pris la main. Elle flottait dans sa robe diaphane aux manches évasées. Je voulais lui dire des milliers de choses, lui en faire dire autant, je me taisais. Sa présence obscurcissait ma pensée.

— Vous êtes vierge, non ?

Le temps s'arrêta. Le sang déserta mon cœur. Je rougis. Comment pouvait-elle dire cela ? Était-ce écrit sur moi ? Avais-je été, sur le sable du cimetière, si maladroit ? Un mot sortit de mes lèvres, le plus minuscule que je pus trouver :

— Oui.

Je devinais son corps sous le voile léger de sa robe. Rita déploya ses ailes et s'adressa à l'immensité de la nuit.

— Mon corps n'est plus en mesure de reconnaître la joie ou le chagrin. Il est devenu un soupir. Mais cette nuit, cette nuit... ah... venez, venez !

Elle m'entraîna dans sa course. Je me disais : « Ça y est, c'est parti. Je suis un chien mexicain, une bête sublime, mon hurlement va s'entendre jusqu'à Montréal, Anna n'en dormira pas de la nuit. » Près des ruines qui dissimulaient l'entrée de la grotte, Rita se pencha et ramassa quelque chose. C'était un sac de toile. Elle en sortit une lampe de poche. Rita l'alluma et plongea le faisceau de lumière dans les profondeurs du sol pierreux comme si elle avait le pouvoir de l'entrouvrir.

— N'ayez pas peur. Ne parlez pas même si je vous interroge. Est-ce qu'on vous a dit que vous aviez des cuisses ?

— Non.

— Chut ! Vos cuisses sont peu développées, mais adorables. À peine musclées, mais fines. Pas de gras. Rien qui pend. Fuselées. Deux colonnes. Êtes-vous conscient de la témérité qui se dégage de vos cuisses ?

— Non.

— Chut ! Rappelez-vous. Gardez le silence.

Je me concentrai sur le rond de lumière qui faisait naître, sous nos pas, les marches de l'escalier.

— Êtes-vous conscient que vos cuisses irradient? Qu'elles lancent des appels? Que je les capte? Vos cuisses sont des chiennes. Des gardiennes vigilantes. Je les comprends.

Était-ce sa mort toute proche qui la rendait fulgurante?

— Vous ferez ce que je vous demanderai. Voilà, nous sommes arrivés. Impressionné? Avez-vous une idée où nous sommes?

Cette fois-ci, je me tus.

— Nous sommes au cœur du monde. Cœur. Ce mot ne veut plus rien dire. Sauf ici.

Elle dirigea le rayon de la lampe de poche sur la tête de l'ange. Le visage de pierre s'enflamma. Rita éteignit la lampe, replongeant la tête dans la lueur vacillante des bougies dispersées autour. Nos deux ombres dansaient sur les parois du roc.

— Assoyez-vous, ne bougez pas.

Je m'assis en tailleur sur le sol. Rita s'approcha de moi. Elle laissa échapper une longue expiration. Elle avait mangé de l'ail. Le retrait brusque que cette odeur déclenche chez moi ne se produisit pas. Au contraire, je me penchai vers l'avant pour baigner plus longtemps dans cet arôme qui augmentait les battements de mon cœur.

— Fermez les yeux.

Sa voix avait le pouvoir de me transformer en une matière docile. Mes paupières fondirent sur mes joues. Rita appliqua délicatement ses paumes sur mon visage. La chaleur de son corps passa dans le mien. Ses doigts fouillèrent mes arcades sourcilières, glissèrent sur l'arête de mon nez, appuyèrent sur le timide début de fossette de mon menton.

— Ouvrez les yeux si vous le voulez.

Je le fis. Elle fouillait dans son sac. Elle en extirpa un paquet rond. Elle le défit. C'était une motte de glaise enveloppée dans un tissu mouillé, peut-être une serviette de coton léger. J'étais agité par de nombreuses questions. Mais je n'ouvris pas la bouche. Mon mutisme ajoutait à mon excitation. Une partie de mon être, la plus ancienne, avait pris la décision d'obéir au moindre désir de cette femme.

— J'ai envie d'un tango. C'est une musique têtue et mélancolique. Avez-vous été mordu par la mélancolie? Quelle souffrance mêlée de plaisir! Mourir de tango, n'est-ce pas une mort digne? Mais il n'y a plus de tango. Qui s'en plaint? Personne ne veut plus de tango. Nous sommes seuls au monde, Huachitango.

Rita s'était mise à chantonner. Elle disposa les bougies en demi-cercle autour de moi, privant l'ange de son auréole. Elle mit ses énormes lunettes aux montures rouges et commença à pétrir la motte de glaise. Elle l'avait fixée sur un amas de pierres qui prenait, dans la pénombre, l'allure d'un corps trapu. Peu à peu, elle fit émerger des traits sous ses doigts. De temps à autre, elle s'approchait de moi, captait un détail, retournait l'imprimer sur mon double de glaise. Le bonheur s'empara de moi. Un bonheur calme, fier, qui donnait à ma pose une assise solide. «Ne te presse pas, prends ton temps, je te comprends parfaitement.» Voilà ce que je me disais derrière le masque que je me composais pour les circonstances. Il était clair que Rita m'aimait. D'un amour virulent. N'étais-je pas un expert en la matière? N'étais-je pas un malade exemplaire de la maladie de l'amour? Combien de jours et de nuits avais-je vivoté dans le coma, maintenu artificiellement en vie grâce à ma réserve d'Anna que je développais, avec parcimonie, dans ma chambre noire? Rita, en façonnant cette tête à mon image, obéissait aux mêmes lois qui m'avaient poussé à stocker, pendant plus de dix années douloureuses, les clichés de mon obsession.

— Vous avez les cuisses d'un danseur de tango. Nerveuses. Combatives. Avec votre profil grec, vous êtes tout un programme. La beauté ne peut être qu'un vulgaire amoncellement, un paquet hybride, un tas.

Rita caressait la glaise, l'arrondissait, la faisait reluire.

— Et c'est ce que j'aime dans la beauté : sa puissante vulgarité qui met à l'aise. Vous êtes à l'aise, non? Je ne vous choque pas? Vous savez que cette grotte servait, à l'origine, de salle d'attente. Un troupeau de cuisses en sueur attendaient ici. Ah, tango, tango, il y a dans la cuisse, dans sa forme allongée, un poisson. Frotter une cuisse constitue la seule expérience poétique encore possible de nos jours. Une cuisse nage dans l'espace. Vous ne rêvez que de la harponner. Dénicher une cuisse de qualité n'est pas facile. Mais croire que l'essentiel se trouve dans la cuisse relève de la naïveté. La cuisse est un poisson, une flèche, un chemin qui conduit à l'essentiel. Ah, tango, tango, la cuisse se sacrifie, met en retrait sa prodigieuse force au profit de la quintessence. C'est pourquoi la cuisse est le berceau   de la divinité. C'est encore le seul endroit où le fracas de l'origine du monde s'entend. Je vous ai dit des âneries sur les Aztèques et leurs sacrifices humains. Des âneries. Les Aztèques ont été des nains. Des aveugles, les yeux bouchés par le sang de leurs victimes. Ils ont utilisé le soleil comme une poubelle. Ils se sont débarrassés des plus beaux spécimens de leur espèce parce qu'ils tremblaient à l'idée de les tenir dans leurs bras.

Rita, tout en parlant, s'acharnait avec de plus en plus de vigueur sur le tas de glaise. Parfois, elle allait même jusqu'à lui donner une claque dont le bruit sec résonnait lugubrement dans la grotte.

— La sueur âcre des cuisses. Il suffit de se concentrer et vous l'avez dans le nez. Combien de jeunes guerriers pouvaient tenir debout ici, collés les uns aux autres ? Une bonne centaine. Imaginez le frétillement. Une subtilité maya vaut mille brutalités aztèques. Les historiens du passé se sont trompés, les historiens actuels se trompent. Leur interprétation des faits est une farce, leur façon de jeter de la lumière sur le passé, une supercherie. Tous ces historiens ont produit un charabia grotesque sur les coutumes pratiquées sur cette île. Ils sont allés jusqu'à inventer une fonction cosmique à cette île. Une fonction cosmique, rien de moins ! Toutes les cuisses mâles de l'époque glorieuse d'Isla Mujeres, selon ces historiens, ont participé à une fonction cosmique, ont dansé au son du tambour de la fertilité. Voilà le mot : fertilité. Et quand les historiens trouvent un mot, ils ne le lâchent pas de sitôt. Ils se comportent comme des chiens qui rongent un os. Comment ont-ils pu croire que cette île était consacrée au culte de la fertilité, qu'on y sacrifiait uniquement des garçons vierges, en leur arrachant ce que vous savez, pour s'en débarrasser en les jetant du haut de la falaise ? Comment ont-ils pu s'abaisser à pareille vulgarité ? Comment ont-ils pu associer fertilité et massacre ? Comment ont-ils pu imaginer que des femmes aient pratiqué pareille tuerie ? Ils sont allés jusqu'à affirmer, ces historiens, que l'île était gouvernée par des femmes, ce qui constituait, selon leur point de vue, une situation exceptionnelle, digne d'être passée au peigne fin de leur théorie. Insondable bêtise et tromperie. Des femmes ne se seraient jamais comportées comme des hommes. Mais ce n'est pas de cela que je veux vous parler. Je veux vous parler de cul.

Rita avait relevé la tête vers moi. Elle avait prononcé le dernier mot avec du feu dans les yeux. Un frisson me parcourut. Allais-je enfin connaître l'extase ? Les limites existent. Ma virginité allait enfin atteindre les siennes. Et toute cette force en moi qui bouillait allait...

— J'entends vos cuisses. Elles jubilent. Elles sursautent. Vos cuisses détestent aussi les historiens. Elles n'ont pas besoin d'hypothèses pour frémir. Elles s'accordent naturellement à l'orchestre du cul. Elles vibrent. Elles résonnent en harmonie avec cette île, avec cette grotte, avec leur histoire véritable. Vos cuisses savent ce qui s'est réellement passé ici. Elles se moquent des concepts creux, des interprétations fallacieuses. Elles savent bien qu'il n'y a jamais eu de femmes sur l'île des Femmes. Qu'il n'y a eu que des garçons. Des hommes jeunes. Rassemblés par dizaines dans cette grotte. Fusionnés dans l'attente. Aplatis, étouffés, emmêlés, comprimés, portés à ébullition. La transe de vos cuisses défait l'ankylose de cette falaise, fait défaillir sa pierre.

L'odeur.

Elle est là. L'odeur du cul. Elle s'échappe des fissures de l'obscurité. De la porosité du temps. Elle nous enveloppe, elle nous révèle à nous-mêmes. Elle nous raconte l'impensable. Elle nous défie de la suivre dans ses conséquences. Vos cuisses sont le tango. Elles n'ont plus rien à apprendre. Elles sont lumière, mémoire. Elles revivent. Elles voient cette matière de garçons pétrie par un désir sans début. Une matière qui efface les angles les plus têtus : coudes, genoux, épaules, hanches. Elles voient la beauté des visages pâlir, s'effacer, se confondre avec la faim. Elles voient la danse sans les danseurs. Elles voient enfin le cul débarrassé de son pire ennemi : le visage. Elles voient le cul fendre les eaux du miroir, le fracasser. Les garçons sont emportés par la vague du cul qui déferle sur eux, les ébouriffe, les culbute, les pompe. Le cul gagne tout le terrain, remplit la grotte, l'élargit, la gonfle, la bouleverse. Le cul rage, le cul ébranle, le cul explose. Il n'y a plus de garçons. Il y a dans la grotte une pulsion. Il y a dans la grotte un bruit de cuisses, un enfer de cuisses au cran d'arrêt, baignées de sueur, qui décident. Les cuisses décident. Elles sortent, survoltées, grimpent les marches de pierre, fendent la nuit de leur arrivée. Là-haut, du sol, émerge enfin le cul. Muscle unique. Face au vent, face à la mer. Une bête immense qui piétine. Une torche musculeuse qui soulève la poussière. Tango. Le cul est né. Le cul lèche le ciel. Le cul rit, galope. Le cul est alcool. Le cul est une essaim de garçons qui se soulève et se lance dans le vide. Ils se jettent du haut de la falaise comme un seul chariot. Mais au lieu de tomber, ils s'envolent. Ils montent. Un spasme. Une extase. Une éclaboussure.

Rita avait parlé de plus en plus vite. Son récit avait éveillé tous mes sens. Je n'en pouvais plus. Je me levai, les jambes vacillantes. J'allai vers elle.

— Vous vous reconnaissez ? Ce n'est pas tout à fait ça que j'avais l'intention de faire. L'inspiration du moment.

Elle me présenta son œuvre. Au lieu d'une tête, la mienne, je contemplai un énorme phallus.

— Vous pouvez parler à présent.

Je ne le pouvais pas.

— Vous faites une drôle de tête ! Je vous égare avec tous ces mots que je débite. Ne vous laissez pas impressionner par eux. Touchez-le. La glaise humide est très proche de la peau humaine. Mais elle est froide. Allez vous rasseoir. Je suis malheureuse. Je vous ai ennuyé avec mes stupidités, avec mon délire. C'est plus fort que moi, quand je suis nerveuse, je dis des sottises incroyables. Je me laisse emporter. Je dis n'importe quoi. Tout, absolument tout ce qui me passe par la tête. Oubliez tout.

Elle enleva ses lunettes, alluma une cigarette. Elle tira une longue bouffée. Devais-je prendre les devants ? J'allai me rasseoir.

— Regardez-moi. Que voyez-vous ? Regardez ma poitrine. Regardez mes hanches. Qu'avez-vous vu réellement ? Un visage, une poitrine, des hanches. Revenez à mon visage. Examinez la peau de mon menton, de mes joues. Je vais me rapprocher des bougies. Examinez ma peau. Comprenez-vous ? Non ? Vous êtes vierge. Je savais que votre profil grec annoncerait une grande pureté. Je suis laide. Je suis vieille aussi. Plus vieille que vous ne croyez. Je n'ai pas de seins. Vous le constatez. Vous l'avez déjà constaté de toute façon. Cette peau que j'ai. Si je pouvais, je m'en passerais. Qui peut vivre sans ? Je le vois, vous êtes étonné, vous avez fait la cour à une vieille peau. On est bien dans cette grotte. Même si la chaleur est en train de nous liquéfier. On sent que ça lâche. On ne pourra plus rien retenir, vous et moi. Ça sera bon. Alf n'avait pas un profil grec aussi pur que le vôtre. Il était fait d'une matière friable. Un garçon trop beau est dangereux. Surtout pour lui-même.

Rita s'était rapprochée de moi. Je me levai pour la prendre. C'était le moment. Tout mon corps me l'indiquait. Mais Rita recula brusquement et agrippa ses cheveux, puis les arracha. Elle me présenta comme un trophée la perruque qu'elle tenait dans sa main.

— Alors, Christophe, vous n'êtes pas parti au Belize ?

— Alfred Leiris !

Je reculai comme si je venais d'être piqué par un serpent.

— Ne soyez pas effrayé. Des ombres qui dansent, c'est tout ce que nous sommes.

— Mais qui êtes-vous ?

— Un homme, Christophe. Comme vous.

— Je ne comprends pas.

— Il n'y a plus de visage entre nous.

— Cessez de dire n'importe quoi. Vous ne pouvez pas être un homme.

— Vous avez raison. Je ne peux pas être un homme. Vous non plus. Qui peut être un homme, qui ? Nous ? Nous ne sommes rien. Profitons-en. Le destin. La petite fleur du destin, niaise et mielleuse, vous l'avez fichée entre vos dents. Rions, Christophe, des sacrifices anciens. Pensons à ceux qui viennent à nous maintenant.

— Qui êtes-vous ?

— Je m'appelle Pierre Tourelle.

Je la regardai avec incrédulité. La pénombre de la grotte la rendait insaisissable. Elle ouvrit son sac. Je crus qu'elle voulait me montrer son passeport pour me prouver son identité. Mais elle exhiba un morceau de papier jauni. Elle le déplia et me le donna à lire.

— Je n'ai jamais pu m'en défaire.

C'était une coupure de journal. Intrigué, je l'approchai près des bougies :

LE VOYAGE FABULEUX
DES MONARQUES

Les monarques accomplissent chaque année un trajet de près de 5 000 kilomètres. Fuyant les rigueurs hivernales du Canada, ces lépidoptères vont se reproduire dans la chaleur du Mexique. Les monarques semblent inutiles. Ils ne servent pas de nourriture à d'autres espèces animales. Leur couleur éclatante, oscillant entre le rouge et l'orange, signale la toxicité de leurs ailes à d'éventuels prédateurs. Ils se déplacent à une vitesse moyenne de trente-deux kilomètres à l'heure, profitant au maximum des vents. Il faut à ces fragiles et gracieux papillons près de deux mois pour atteindre le Sud. Leur migration attire de plus en plus de touristes. C'est un spectacle inoubliable que d'apercevoir cette tempête de couleurs s'abattre sur le sol, les arbres, les routes. Jusqu'à présent, les recherches ont dénombré trois routes migratoires. Les monarques vivant à l'ouest des Rocheuses se rendent en Californie. Ceux qui vivent à l'est des Rocheuses et autour des Grands Lacs descendent jusqu'au Michoacán, dans la Sierra Chincua. Enfin, les monarques de l'Atlantique traversent la Caroline et la Floride et vont hiverner, croit-on, à Cuba et dans la péninsule du Yucatán. Cependant, pour ces derniers, leur destination exacte demeure encore un mystère. On sait maintenant que la route migratoire des monarques de l'Atlantique les conduit à Isla Mujeres, l'île des Femmes, une île minuscule du Yucatán, qu'ils utilisent, à peine quelques heures, comme aire de repos, avant de repartir vers leur destination finale toujours inconnue. Les monarques de l'Atlantique quittent les régions nordiques beaucoup plus tôt que les autres espèces. Seule la dernière génération des monarques entreprend ce fascinant voyage. Se gavant de nectar, ils retardent leur maturation sexuelle afin de connaître leur accouplement dans les régions du Sud. Une légende locale

raconte que les millions de monarques qui, mystérieusement,
s'abattent chaque année sur la falaise d'Isla Mujeres pour en
repartir très vite sont constitués par les individus de l'espèce qui
sont incapables de retenir plus longtemps leur besoin (ou désir!)
de s'accoupler. Le passé de cette île, célèbre pour ses rites de la
fertilité, a sans doute contribué à cette croyance.

Lorrina Calvinot

— Et alors? Je ne comprends pas. Pourquoi m'avez-vous fait lire ça?

Rita reprit la coupure de journal, la plia soigneusement, la remit dans son sac.

— Les papillons.

— Quoi, les papillons?

— J'ai connu une personne qui les considérait comme les créatures les plus sacrées de l'univers. Elle ne supportait pas de les voir épinglés sous verre. Cette personne s'appelait Bianca. Elle ressentait chaque coup d'aiguille dans son cœur. Elle me disait que ces insectes, morts, ne connaissaient pas la pourriture. Pour elle, les humains constituaient une espèce inférieure, remplie de matières infectes et putrides. Elle me disait aussi que les muscles qui actionnent les ailes d'un papillon sont les muscles exemplaires de l'amour: cachés, petits, puissants. Savez-vous pourquoi? Parce que l'extrême fragilité d'un être est émouvante. Comprenez-vous?

— Je ne suis pas sûr de vous suivre.

— Un papillon. Bianca était un papillon. La rencontrer a été un choc pour moi. Elle dérobait l'air autour d'elle. Le seul moyen de ne pas mourir asphyxié était de vivre le plus près de sa bouche. Au début, je me comportais avec elle comme un véritable chevalier. Je la précédais pour lui ouvrir la porte, la couvrais de fleurs, lui baisais le bout des doigts. Elle m'effleurait la joue du bout des lèvres, me répétait qu'il fallait attendre. Je devenais fou. Un jour, j'ai été incapable de me retenir. Je lui ai sauté dessus. Elle s'est débattue, m'a donné trois ou quatre coups de poing. J'ai cru que c'était la fin entre nous. Mais au lieu de me couvrir d'injures, Bianca m'a fait lire la coupure de presse que vous venez de lire. Puis elle m'a dit: «Imagine l'angoisse d'une larve: un petit tas de graisse hésitant entre la vie et la mort. Une partie se décompose, une autre, comme un charognard, s'en nourrit. C'est un combat entre l'informe et l'élan. Le jour où l'élan l'emporte sur l'informe, le papillon déchire son cocon. Ce jour-là, c'est la nuit. La nuit d'amour.» Bianca exhalait d'enfant, de framboise. Je l'ai prise dans mes bras. Elle m'a dit: «Pierre, emmène-moi sur l'île des Femmes.» Sa phrase avait la netteté d'un couteau à travers ses larmes. Nous sommes partis pour le Mexique. Nous sommes arrivés à Isla Mujeres. Bianca m'avait répété souvent, en parlant des monarques: «Une horloge tictaque dans leurs gènes et les programme.» Elle aimait l'inéluctable, se plaignait du caractère imprévisible des hommes. Je lui rétorquais que je préférais l'inconfortable liberté de l'homme au destin piégé du papillon qui le contraint à s'immoler dans le feu d'une bougie. Mes arguments n'avaient aucune prise sur sa passion ou, devrais-je dire, son obsession. Il y a vingt ans, nous avons guetté, ici même, sur cette falaise, l'arrivée programmée des monarques. Quand la rumeur sourde de l'essaim est devenue perceptible, Bianca m'a dit: «C'est le plus beau moment de ma vie.» L'air vibrait, se réchauffait. Un nuage pourpre venait vers nous. Bianca agitait les mains comme si les monarques étaient sensibles à ses appels. L'air a eu un spasme. Le temps s'est mis à grésiller. La tache de couleur a pris d'assaut tout le ciel. Puis, d'un coup, les monarques se sont abattus sur la falaise. Nous les respirions, nous les avalions. Ils nous métamorphosaient en éclats de rouge et d'orange. Bianca chantait, dansait, m'embrassait. J'en faisais autant. Des myriades de papillons se posaient sur le sol et le transformaient en une matière cotonneuse où nous flottions en état d'apesanteur. À l'abri dans notre combinaison d'extase, Bianca et moi flambions comme des torches de joie. Nous éclations de rire dans le pourpre qui cassait la nuit bleue. Nous nagions dans l'amour, venu du ciel, qui avait kidnappé l'air. À travers le rideau formé du battement des ailes, j'ai aperçu Bianca se déshabiller. Elle a été aussitôt revêtue d'une robe de papillons. Quelle robe! Ah, Bianca, Bianca!

Où Rita voulait-elle en venir avec cette histoire?

— Bianca s'est étendue sur le sol: un sarcophage piqué de rubis et d'or auprès duquel je me suis agenouillé. Pour accéder à ses lèvres, j'ai enlevé les monarques qui butinaient son visage. J'ai eu la sensation de restaurer une œuvre d'art. J'ai collé mes lèvres aux siennes. Bianca s'est abandonnée. Son corps a perdu cette raideur magnifique qui l'emprisonnait et m'interdisait de le profaner. Un fleuve féroce a lâché dans mes membres ses torrents. Rien n'aurait pu me retenir. J'ai mangé la bouche de Bianca, j'ai mangé le vide de la bouche de Bianca, j'ai sucé sa langue, ses lèvres, la chair de ses joues, j'ai défoncé son palais de ma langue, devenue plus dure qu'un bélier de granit, j'ai avalé sa salive, je me suis arraché à sa bouche pour mordre son menton, j'ai léché son cou, j'ai creusé des sillons jusqu'à sa poitrine, mince, frétillante, fruit jumeau si rapproché que ma bouche, incapable de choisir, tentait de gober en même temps les deux pointes hérissées, j'ai ravagé ses mamelons, je les ai saccagés avec des mains de jardinier, je les ai aspirés, Bianca a crié de douleur, m'a ordonné de continuer, j'ai continué, je me suis frayé un chemin jusqu'à son ventre, la bouche écumante de papillons que mes dents déchiquetaient, j'avançais dans la vie qui battait, je déboisais, le visage barbouillé de couleur et de sueur, un tigre était mon visage, je suçais son nombril, le couteau de ma langue voulait le transpercer, un tambour s'est emparé de mes reins, sa musique secouait le sol, j'ai écarté d'un coup de genou les jambes de Bianca, j'ai glissé ma bouche plus bas, plus bas, une branche s'est levée, recouverte de papillons, j'ai soufflé dessus, un sexe d'homme est apparu.

Rita m'offrit son regard à contempler. J'avais peur de m'y perdre.

— Ma Bianca portait entre ses jambes le même sexe que le mien. J'ai voulu à coups de dents l'arracher. Quoi! Aimer un mensonge? Qui était cet homme? Et moi, qui étais-je pour avoir accepté ses caprices, les avoir trouvés excitants, romantiques? J'avais attendu deux ans. J'avais retenu mes ardeurs. Qui aurait consenti à un tel sacrifice sinon l'amoureux le plus sincère? Assister au prélude amoureux des papillons pour pouvoir vivre le sien! Venir sur l'île des Femmes et découvrir que sa bien-aimée est un homme! Qu'avait-il cru, cet homme? Que mon amour n'y verrait que du feu! Que la Nuit des Papillons abolirait toute différence! Que la Nuit des Papillons empêcherait de voir un sexe d'homme là où il y en avait un! Que l'amour, quand il est affamé, mange n'importe quoi! Que le sexe, au fond, bien au fond, n'est qu'un détail! Je me suis levé d'un bond. Je haïssais cet homme, cet étranger couché à mes pieds. J'étais incapable de parler. Pour dire quoi? Je l'ai laissé à son extase. Je suis parti sans me retourner. Je maudissais ces papillons qui m'entouraient de toutes parts. Je prenais du plaisir à les écraser. J'étouffais. J'en voulais à l'univers. Je m'en voulais à moi plus qu'à tout autre. J'ai entendu sa voix derrière moi: «Pierre, ne me laisse pas, ne me laisse pas...» Je courais comme si m'éloigner de son corps annulerait ce que je venais de vivre. Puis je me suis effondré. Je pleurais comme un enfant. Je l'aimais toujours. J'aimais toujours sa peau, son odeur, son regard, son sourire. Qu'avais-je fait? Il m'avait offert la vérité de son être, je l'avais rejeté brutalement. La force de sa vie avait consisté à ne pas exposer sa souffrance comme une marchandise. Je me suis relevé. Je suis retourné vers lui. Ma course n'a duré que le temps d'une impulsion. Je me suis arrêté net. Qu'étais-je en train de faire? Je courais, bras tendus, vers... un homme! Comment pourrais-je oublier cette vérité toute simple? Quels seraient mes gestes? Était-ce moi qui n'avais pas voulu reconnaître sa nature véritable? Était-ce moi le menteur? Étaient-ce mes yeux les aveugles? Était-ce mon cœur le trompeur? Avais-je aimé aussi l'homme en elle? Ces questions me paralysaient. Cet homme, ce garçon, était déesse, dieu, bête, larve et monarque. Ses ailes régnaient sur mon cœur. J'ai repris ma course vers lui. J'étais habité par une joie pure. Plus aucune question, plus aucun doute ne se soulevaient en moi. Je l'ai aperçu au loin. Au moment où j'ai voulu l'appeler, les millions de papillons d'Isla Mujeres se sont arrachés du sol. Dans un bruit d'enfer, ils ont reformé le nuage dans lequel ils avaient atterri. Je ne voyais plus que du rouge. Je me retrouvais au cœur d'une tourmente. L'air était déchiré en miettes. Je me débattais. Le monde se défaisait autour de moi, me défaisant du même coup. Quand la queue de l'essaim a enfin quitté la falaise, le rideau tombait. Il était trop tard. La pièce ne débutait pas. Elle finissait. Un numéro tragique. D'une beauté mortelle. Une apothéose.

Rita se pencha. Je crus qu'elle avait un malaise. Mais elle ramassa sa perruque qu'elle rajusta sur sa tête.

— Une éclaboussure, Huachi. Bianca s'est jetée du haut de la falaise. Je l'ai vue s'envoler, accrochée à la longue robe des monarques. Mais c'est le corps d'Alf qui s'est fracassé contre les rochers.

— Alfred !

— Oui, il s'appelait Alfred, Alfred Leiris.

— Je suis désolé.

— Ne dites pas de bêtises.

— Mais je vous...

— Laissez-moi parlez, Christophe ! Il y a un an, j'ai appris que mes jours étaient comptés. Je n'ai ressenti aucune angoisse. Des désirs nouveaux se sont plutôt imposés. Un jour, à ma stupéfaction, j'ai acheté une robe. Les jours suivants, j'ai lutté avec toute la force du raisonnement et tout le souci des convenances, mais rien n'y fit. Vaincu, je l'ai revêtue. La robe était plus forte que l'homme que j'étais. Le reste : maquillage, perruque, talons aiguilles, a suivi très vite. Je n'arrivais même plus à m'étonner. Je me disais : «Combien de jours me reste-t-il à vivre ? Suffisamment pour me sauver.» Mais me sauver de quoi puisque j'allais mourir ? Je ne le savais pas. Il y a un mois, quand je suis arrivé au Mexique, je croyais venir accomplir un ultime pèlerinage. Cette tête, je l'ai sculptée d'après la photo d'Alfred. Ce n'est pas un hasard si elle vous est tombée dessus hier. Je venais de la substituer à celle de son tombeau. Le croirez-vous, Christophe, je me suis sentie belle ici. N'est-ce pas ridicule? Sur cette île, j'ai pris conscience que la coquetterie est une forme d'intelligence. Un corps qui se transforme est un événement prodigieux. Et quand il le fait sans la volonté de celui qui se voit transformé, cela donne un spectacle étonnant. Regardez mes jambes. Avouez qu'elles ont quelque chose. Épiler une jambe exige une foi aveugle. Oui, sur cette île, j'ai senti un jardin secret aspirer à la lumière. Tous les jours, à trois heures, pendant un mois, je me suis rendue, veuve, sur la tombe d'Alfred. Chaque jour, avec de plus en plus de précision, j'ai revécu la Nuit des Papillons. Et chaque jour, quittant le cimetière, ma transformation s'est accentuée. Quel vertige de disparaître dans un autre corps qui demeure pourtant le sien! Quel tour joué à la mort qui vous travaille! Mais arrivons au fait: vous!

Rita s'avança vers moi, me contraignant à m'aplatir contre la paroi rocheuse de la grotte.

— Vous! Tic tac, tic tac que votre présence déclenche, tic tac qui accompagne mon sang depuis que je vous ai aperçu sur la plage. Vous vous souvenez de la gifle que je vous ai donnée? Ma bague vous a blessé. Quand j'ai vu du sang sur vos lèvres, j'ai ressenti de la répulsion. Mais ce dégoût s'est transformé en un désir irrépressible de vous mordre. Votre présence, votre attention, votre regard, quelque chose en vous de fragile, de tendre, d'offert me donnent envie de vous manger tout rond.

Le souffle de Rita vint s'écraser contre mon visage. Je dus respirer son haleine chargée d'ail.

— Vous avez le même nez grec que mon Alf disparu. Le même front bas. Quand je vous ai aperçu avec ce dessin que vous aviez fait de moi, j'aurais voulu vous sauter dessus. Mais j'étais Pierre Tourelle, quelqu'un qui existait de moins en moins et avec de plus en plus de difficulté. Je vous ai adressé la parole à la réception de l'hôtel. Je tremblais : l'avez-vous remarqué ? Non, bien sûr. Vous cherchiez une femme. Comprenez mon émoi : vous étiez à ma recherche. Je me tenais devant vous. Pourtant, un éloignement plus grand entre nous était impossible. Je ne sais pas par quel détour, par quelle mathématique obscure je vous ai répondu que la personne que vous recherchiez était ma femme. Mais une fois prononcés, je ne pouvais plus effacer ces mots. Je venais de me marier à moi-même. Vous m'avez appris que vous partiez pour le Belize. Je voulais vous retenir. Je vous ai alors écrit cette lettre que j'ai signée du nom d'Alfred Leiris. Je vous y parlais des appétits incontrôlables de mon corps malade. De sa faim vorace. Je vous ai écrit de venir me rejoindre sur cette île. Avez-vous conscience du choc poétique que vous m'avez procuré en tombant, tête première, sur l'emplacement de la pierre de l'Aigle, éjecté d'une moto sortie de nulle part ? Il n'y a qu'une éclaboussure qui possède ce don. Ou un ange. Pourquoi ressemblez-vous à mon Alf envolé ? Vous ne devinez pas pourquoi je vous ai donné ce rendez-vous ? Je vous ai sauvé la vie. Vous m'en devez une.

— Qu'est-ce que vous voulez dire ?

— Vous ne savez pas soustraire ? Vous me devez une vie. J'ai bien l'intention de la prendre.

— Ne soyez pas ridicule. Sortons de cette grotte.

— Vous avez parfaitement raison. Le temps est venu de sortir de cette grotte.

Rita sortit de son sac un revolver qu'elle pointa vers moi.

— Ramassez la lampe de poche. Avancez. Je vous suis. Surtout, n'essayez pas de vous enfuir. Voilà. Je le savais à présent. Rita m'avait tendu un piège. J'étais sa prochaine victime. Je n'aurais jamais dû quitter le rivage de ton visage, Anna horizon, quitte à m'attacher avec les barbelés de ton indifférence.

— Je me sens vaste, élastique. Je suis LA femme. Je possède six bras, huit bouches, des centaines de dents. J'ai envie de vous mordre la nuque. De vous lécher les cheveux. Continuez à avancer.

Pendant que Rita délirait, j'élaborais des plans d'évasion : simuler une crise d'épilepsie, rater une marche, tomber sur elle, me retourner et l'aveugler avec la lampe ou nous plonger dans le noir. Tous ces scénarios étaient risqués. Rita aurait amplement le temps de me cribler de balles. J'essayais de me rassurer : « Elle n'oserait jamais me faire de mal, elle est trop intelligente, elle m'aime, j'ai un profil grec.»

— C'est ridicule, Huachi, mais je ne peux m'empêcher de vous dire ce que je suis en train de penser. Et je ne vous demanderai pas de le deviner car vous n'auriez aucune chance.

Rita eut un petit rire. Je laissai échapper à mon tour un rire, nerveux et encore plus sec que le sien.

— Je suis en train de penser que je suis une crevette.

— Une crevette ?

— Une crevette.

Le rire de Rita se gonfla comme une vague et se déversa en échos sonores dans la grotte.

— Je suis une crevette de trois ans. M'avez-vous entendue ? Une crevette de trois ans.

— Oui, oui, je vous ai entendue.

— J'ai lu qu'une crevette naît mâle. Elle devient femelle dans sa troisième année. C'est à mourir de rire.

— Oui, oui, c'est à mourir de rire.

Rita garda le silence jusqu'à la sortie de la grotte. La brise du large nous accueillit comme deux revenants émergeant du sol. Au risque de ma vie, je me retournai et fis face à Rita.

— Écoutez, il est tard. Je tombe de sommeil. Je suis très heureux de vous avoir connue. Vous avez des problèmes, tout le monde en a, ce n'est pas une raison pour...

Une déflagration déchira la nuit. Je m'écroulai au sol.

— Relevez-vous, j'ai tiré en l'air.

— Ne tirez plus !

— Embrassez-moi.

— Croyez-vous que ce soit nécessaire ?

— Tenez-vous à ce que je vous abatte comme un lapin ?

Comme un automate, je me levai, je marchai vers Rita. Elle m'embrassa, le revolver contre mon ventre. Je crus que ce baiser n'aurait pas de fin. Je me rappelai ce cauchemar où je tuais un lapin. Anna, je sentis dans mes os que la vie était peu de chose. Le sentir de façon aussi aiguë me soulagea.

— Le cul. Il ne s'agit pas de ça. Vous n'êtes pas sexy. Vous êtes tout à fait ridicule avec vos *runnings*, votre short et votre collier orthopédique. Croyez-vous que vous donnez l'image d'un amant ? Que vous inspirez du désir ? Qu'est-ce que vous imaginez ? Que je vais vous violer ? Vous avez l'air déçu. Pour qui vous prenez-vous ? Vous n'êtes rien, rien, rien ! Et pourtant... l'innocence vous habille comme une peau. Je vous ai menti. Les historiens inventent les plus belles histoires du monde. Ils saisissent la seule vérité qui compte. Vous et moi allons la connaître. Vous n'êtes rien. Mais moi, je suis moins que rien. Je veux que vous soyez le dieu de ma mort. Je vous ai sauvé la vie. Prenez la mienne. Nous serons quittes.

— Que je prenne votre vie?

— Là où sont posés vos deux pieds était couchée, jadis, la pierre de l'Aigle, la pierre des sacrifices.

Rita fouilla dans son sac. J'avais l'impression qu'elle pouvait en faire sortir n'importe quoi, un piano ou un rhinocéros. Elle ne prenait plus la peine de me tenir en joue. Quelque chose, dans l'air, avait changé. La lumière crayeuse de la lune semblait dire: tout est possible. La nuit et ses annexes, nos deux silhouettes, ondulaient dans les vapeurs bleuâtres d'un conte de fées. Rita repêcha de son sac un livre. Je le reconnus tout de suite.

— Voici ce que j'étais en train de lire sur la plage quand j'ai entendu vos appels au secours:

Tout le monde s'est trompé sur le sens profond du sacrifice. Le sacrifié n'a jamais été une victime. Il a toujours été un élu. Le poème suivant, attribué à un cycle maya de l'île des Femmes, en est une preuve:

> *Quand la mer aura bu le soleil*
> *je me coucherai sur la pierre*
> *je la mouillerai de mes pleurs de joie*
> *il y a longtemps que j'attends*
> *mon corps de garçon se réjouit*
> *les treize années de ma vie*
> *trop nombreuses*
> *rouleront comme de l'or*
> *sur les rochers en colère*
> *je connaîtrai l'amour*

sur le tranchant du temps
je suis l'élu de l'île
je suis l'île de la nuit

Les yeux de Rita se remplirent de larmes. Elle les ferma et répéta :

Je suis l'élu de l'île
je suis l'île de la nuit

Je sentis de nouveau son parfum. Combien d'étoiles brillaient au-dessus de nos têtes ? Un nombre effarant qui nous égarait dans le présent.

— Ah ! être sur le bord, goûter, goûter l'abîme qui s'ouvre comme un fruit ! Alfred m'a conduit au bord d'un gouffre. Je le bénis, je le pleure encore. Christophe, vous voyez devant vous une jeune femme. Je viens à peine de naître. Je suis même trop jeune pour imaginer les gestes des amants. Mais je suis prête : je serai la première jeune fille à être sacrifiée sur l'île des Femmes. Huachi, ouvrez-moi le cœur. Ici même. Avec ça.

Rita fouilla encore dans son sac, fit apparaître un objet entouré d'une serviette qu'elle me remit. Ce n'était pas un morceau de glaise cette fois-ci. Je fis émerger de la serviette un couteau de boucherie.

— La meilleure façon de vivre est de ne pas avoir peur de mourir. Une robe de dentelle me pousse sur le corps, sécrétée par ma virginité. Une poche de poison est sur le point d'éclater dans mon corps nubile. Je pourris malgré la tendresse de la nuit et celle de vos yeux noirs. La jeune fille que je suis est l'élue de l'île. Une balançoire s'agite en moi. Calmez-la. Je veux mourir sous votre main. Tuez-moi.

Je m'agenouillai. Rita fit glisser sa robe de ses épaules. J'avais cru que l'amour constituait le plus haut sommet. Mais je me tenais maintenant plus haut encore. Le temps, en bas, coulait comme un ruisseau. Une force inconnue venait de m'élever jusqu'à l'impensable : le désir de tuer. Anna, mon Anna barque, pour un instant, tu as quitté mon cœur. Une fenêtre s'est fermée, ton souvenir est demeuré dehors. J'étais neuf, nu, un couteau dans la main. Rita m'agrippa la tête et la fit remonter jusqu'à la sienne.

— Je ne vois plus dans tes yeux que les étoiles. Dépêche-toi ! Frappe ! Tu entends le tango ?

Oui, les accords d'un tango déferlaient sur la falaise.

— Tu jetteras mon corps dans la mer. Frappe !

Je déchirai la robe de Rita, ramassée autour de ses reins. Je ne vis plus qu'un corps d'homme âgé avec de la bave sur le menton.

— Frappe !

La rage m'arracha un hurlement. Je fermai les yeux et abaissai de toutes mes forces le couteau.

— Ahhhhhh !

— Christophe !

— Annnnna !

10

FRAISE ET KIWI

Anna se tenait devant moi. Par quel hasard incroyable se trouvait-elle sur la falaise de l'Aigle ?
— Anna, que fais-tu ici ?
— Pourquoi portes-tu la table de la cuisine sur ta tête ?
— Quoi ?
Elle avait raison : je portais la table de la cuisine sur ma tête. Je déposai mon fardeau. J'émergeai peu à peu d'un brouillard d'images et de sensations. Le Mexique, la falaise, Rita, la grotte, le couteau, tout cela retournait dans le passé d'où il était venu. Combien de temps avais-je passé, étendu sous la table de la cuisine, à dériver dans mes souvenirs ? Anna, dans une robe claire, m'observait. Je sursautai, frappé par un éclair : Anna est chez moi ! Le miracle des milliers de fois souhaité, caressé, retourné en tous sens s'était réalisé. Le choc fut trop violent. Un doute surgit immédiatement : ne suis-je pas au Mexique en train de rêver que je rêve que je suis avec Anna à Montréal ? Oui : je suis toujours au Mexique. Cette Anna est une chimère. Une chimère merveilleuse. Je rêve que je rêve qu'une chimère d'Anna en robe claire, comme une tache de lune, me regarde.
— Ça va, Christophe ?
— Très bien, et toi ? Tu es arrivée quand ?

— Je viens d'arriver.

— Tu as fait un beau voyage ?

— Quel voyage ?

— Je suis descendu à l'hôtel Rosario. Descendu. Étrange, non ? Je viens de me rendre compte qu'on descend dans un hôtel. On descend. Toi, où es-tu descendue, Anna ?

— Es-tu dans ton état normal ?

— Je rêve, Anna.

— Tu ne changeras jamais.

Là-dessus, je m'évanouis. Quand je revins à moi, je revins aussi à Anna. Elle couvrait mon front de petits baisers frais. Je compris malheureusement qu'elle me tapotait le front avec une débarbouillette mouillée.

J'étais bel et bien à Montréal, dans mon appartement, Anna penchée sur moi. Plus de doute. Je perçus un soulagement dans mon corps, las, vide, mais apaisé. Ma fièvre diminuait comme une marée qui rend l'âme dans l'horizon. Je me levai et je préparai du café. Anna se taisait merveilleusement. J'arrivais à exister avec elle, dans une même pièce, dans l'harmonie d'un silence doux et lent. Assis face à face autour de la table, la cafetière à filtre posée entre nous, nous avons partagé un regard et un sourire. Après quelques gorgées de café, une conversation émergea, par petits coups, de la coquille du silence.

Anna me parla de sa carrière d'actrice, me demanda si je l'avais vue dans la série télévisée *Cul-de-sac* où elle était en vedette, puis s'inquiéta de m'avoir retrouvé en plein délire. Je la rassurai, lui expliquai ma mésaventure avec une méduse dans la mer des Caraïbes. Elle soupira, hocha de la tête, tourna avec l'index une mèche de ses cheveux, me proposa de voir un médecin, puis se ravisa en me rappelant que je n'étais pas constitué normalement de toute façon, qu'elle m'avait déjà vu dans des états pires, qu'après tout j'avais plutôt bonne mine, qu'elle connaissait maintenant plein de gens dans le milieu de la télévision qui suivaient des régimes, des diètes, des traitements et que, au bout du compte, ces gens-là continuaient à souffrir de plus belle de leurs symptômes habituels, que je devais me compter chanceux de posséder un corps aussi résistant. Je la remerciai de m'encourager à vivre et de mettre ainsi en valeur ma personnalité torturée mais tenace. Je la complimentai sur son goût vestimentaire. Elle portait une robe si légère et si lumineuse que je m'attendais à chaque instant à son envol. Elle m'annonça qu'elle venait de signer un contrat très lucratif avec un fabricant de jeans, que je la verrais bientôt sur d'immenses panneaux publicitaires, dans le métro, sur les autoroutes, sur les murs de briques d'immeubles sans fenêtres, que son agent lui promettait une carrière internationale. J'imaginais déjà les tourments que j'aurais à subir si je me retrouvais face à face avec ces Anna géantes, moulées dans des jeans conçus pour dompter la beauté sauvage. Elle tourna la tête, regarda nonchalamment autour d'elle, fit glisser son regard sur les murs de mon appartement consacrés en partie à sa personne, feignit de ne pas s'en apercevoir. Je n'osais, pour ma part, me lancer dans une explication laborieuse sur l'origine de ces photographies prises à son insu. Je la remis sur les rails de sa carrière pour mieux faire oublier la mienne, lamentable et pitoyable. Elle me parla avec passion d'Isabelle, le personnage qu'elle jouait dans *Cul-de-sac*, une fille droguée qui vivait dans la rue, une fille rebelle qui n'avait pas froid aux yeux et qui allait connaître de sérieux problèmes avec la petite pègre montréalaise. Je jouais au ravi, à l'étonné, à celui qui en demande plus, mais j'étais incapable de lui avouer qu'à mon retour du Mexique, j'avais regardé, comme tout le monde, *Cul-de-sac* mais pour cesser de le faire après le troisième épisode parce que je ne supportais pas de la voir, même dans la peau d'un personnage, même réduite à une image de télévision, en présence de Lâm, car lui aussi – par quel mystère brutal de la vie? – jouait dans *Cul-de-sac*. Et il ne fallait pas avoir beaucoup d'imagination pour comprendre que son personnage, un dénommé Tâm, allait tomber sous le charme d'Isabelle et que la fin de la série allait consacrer leur union après les péripéties les plus dangereuses, événement douloureux que je ne voulais pas aborder, mais Anna, comme si elle venait de lire dans mes pensées pour mieux les bousculer, insista pour me révéler, en primeur, me disait-elle, le scoop du prochain épisode, à savoir que le père de Tâm se ferait abattre dans son dépanneur lors d'un minable cambriolage d'amateur, qu'Isabelle assisterait au drame et que naîtrait alors entre la jeune délinquante et Tâm, témoin impuissant du meurtre de son père, un amour marqué par le malheur et la furie. Elle répéta ces mots: « Un amour marqué par le malheur et la furie. »

Puis ce fut le silence. Celui qui précède l'annonce du pire. Je n'étais pas dupe. Anna se trouvait avec moi au milieu de la nuit. Il y avait à cela une raison. Depuis que j'avais retrouvé ma lucidité, je m'étais empêché de lui demander une explication sur sa surprenante visite. Comment croire qu'elle s'était introduite chez moi, habitée par un sentiment amoureux? Ou qu'elle daignait enfin répondre à mes rendez-vous? Non, je n'étais pas dupe.

— Christophe, tu te doutes bien que je ne suis pas venue chez toi, en pleine nuit, pour te parler de ma carrière d'actrice.

Je commençais à rêver : et si Anna était justement venue chez moi, en pleine nuit, habitée par un sentiment amoureux ?

— As-tu lu le dernier *Allô Vedettes* ? Il y a une entrevue de moi où j'explique que j'ai de très bonnes chances d'obtenir le premier rôle dans un film à grand budget avec une vedette américaine. Je ne peux pas encore te dire avec qui, c'est un secret. Tu sais d'où j'arrive ?

— Non.

— De Toronto. J'étais encore là-bas il y a quelques heures. J'y suis allée pour passer une deuxième série d'auditions. J'ai vu le réalisateur, les producteurs. Ça s'est tellement bien déroulé que je suis revenue un jour plus tôt que prévu. M'écoutes-tu, Christophe ?

— Je t'écoute, Anna, je t'écoute.

— J'ai voulu faire une surprise à Lâm, je ne l'ai pas appelé pour lui dire que j'arrivais ce soir. Je suis rentrée, il n'était pas à la maison. Je ne me suis pas inquiétée. Après tout, Lâm ne m'attendait que demain. J'ai pris un bain, j'ai écouté de la musique. J'ai appelé quelques amis. Personne ne savait où était Lâm. Je me suis dit qu'il était au cinéma. Le vendredi, il y a des projections qui se terminent tard. Minuit est arrivé. Pas de Lâm. J'ai eu une sorte de pressentiment. J'ai fouillé dans ses affaires. Je n'ai pas l'habitude de faire ça. J'ai ouvert le tiroir où il range ses papiers. J'ai trouvé, caché sous une pile de lettres, un petit cahier. Lâm avait commencé un journal intime. La première date remontait à quelques semaines. J'ai commencé à le lire. J'ai été comme... comme...

— Mais qu'est-ce que tu as lu ?

— Christophe, si je suis venue au milieu de la nuit chez toi, c'est pour...

Elle ne termina pas sa phrase. La porte de ma chambre noire venait de s'ouvrir. Michèle apparut. Anna se pétrifia. Michèle fit un pas. Anna devint blême. Elle me regarda avec une expression d'incrédulité et de dégoût. Ou était-ce de la colère? Avant que je n'aie le temps de réagir, Anna avait quitté mon appartement. Ses pas résonnaient encore dans l'escalier quand Michèle esquissa un sourire triste.

Elle n'était pas partie comme je l'avais bêtement pensé. Michèle se trouvait dans ma chambre noire. Mais depuis combien de temps? Je regardai ma montre. Il s'était écoulé à peine vingt minutes depuis le moment où, étendu sous la table de la cuisine, mes souvenirs m'avaient fait dériver jusqu'à Isla Mujeres. Anna était demeurée avec moi un quart d'heure. Cela réduisait à cinq minutes le temps que j'avais pris pour revivre une partie de ma vie. Était-ce la fièvre qui avait accéléré les images de mon passé au point de les réduire au spasme d'une toupie vite retournée à son immobilité? Il aurait peut-être suffi d'une rotation légèrement plus rapide pour que je disparaisse du temps et, qui sait, de l'espace. Je pensais à cela parce que, paralysé depuis le départ d'Anna, une partie de ma personne aurait préféré disparaître devant le trouble apparent de Michèle. J'allai vers elle, la serrai dans mes bras. Je n'étais pas convaincu par mon geste. Mon esprit demeurait avec Anna. Qu'avait-elle lu dans le cahier de Lâm? N'avait-elle pas exprimé de la jalousie en apercevant Michèle? J'existais pour Anna. Je serrai avec plus de fougue Michèle: Anna m'aimait. Dès le lendemain, je parlerais à Anna, je lui expliquerais que Michèle n'avait aucune importance pour moi. Fort de cette décision, j'allais mettre fin à mon étreinte, quand j'entendis ces mots : « J'ai envie de toi. » Anna était revenue. Je me retournai vers la porte. Personne. Je me retournai vers Michèle.

— Je ne suis pas sourde-muette. Je ne suis pas non plus ce que tu penses. Est-ce que je peux utiliser ton téléphone pour appeler un taxi ?

Je lui montrai de la main le téléphone. Elle se dirigea vers l'appareil. Elle ne termina pas le numéro qu'elle était en train de composer. D'un geste lent, elle enleva ses verres fumés. Deux yeux noirs, pris entre des fentes étroites, apparurent. Je le reconnus : Lâm.

— Je suis désolé, Christophe.

— Je ne comprends pas... Je suis... Je suis complètement...

J'allai m'asseoir. Je fixais la cafetière. Je fixais la tasse où avait bu Anna. Je fixais les traces de son rouge à lèvres sur le bord blanc de la tasse. Lâm vint s'asseoir à son tour. Face à moi, là où Anna s'était assise. Je restai muet. Un sac d'étonnement assis devant une tasse de café refroidi. Après un long moment, Lâm brisa le silence.

— Je ne sais pas comment... C'est très difficile pour moi de... Tu sais, Christophe, très jeune, je souffrais d'une sensation étrange... Je... C'était comme si... comme s'il me manquait une jambe ou un bras. Pas parce qu'un accident me les aurait arrachés, mais parce que je les aurais oubliés dans une automobile ou sur le fauteuil d'un cinéma. Cette sensation m'a quitté le jour où ma sœur, ou son esprit, a refait surface dans ma vie. Je t'en prie, écoute-moi. Je vivais alors dans une famille d'accueil, à Saint-Fulgence : les Grenier. Ils avaient deux enfants. Des jumeaux : Michel et Micheline. Quand je suis arrivé dans leur maison qui surplombait le Saguenay, j'étais encore traumatisé par mon départ précipité de Montréal. Mes nuits étaient remplies d'épouvante. Je cherchais dans le noir mes parents, mes frères. Et ma sœur que j'avais vue mourir. À Montréal, j'avais trouvé un remède à mes affolements nocturnes. Je me glissais dans le lit d'Anna. Tu sais ce que j'ai fait à Saint-Fulgence? La même chose. J'allais retrouver Micheline dans sa chambre. Elle adorait les animaux. Elle imaginait que j'étais un petit animal qu'elle avait sauvé de la mort. J'étais sa grenouille. D'autres fois, son écureuil. Parfois, c'était à son tour de me lécher avec une langue de chat ou de me pincer avec un bec d'oie. Son imagination nous munissait d'appendices de toutes sortes, griffes, museaux fouineurs, pattes de velours, moustaches de loup, oreilles de lapin, qui rendaient notre plaisir inépuisable.

Pourquoi Lâm me racontait-il tout cela?

— Une nuit, le sommeil m'a oublié. Il m'a laissé tourner tout mon soûl dans mon lit. Je suis tombé sur le plancher. Ma chute a réveillé Michel avec qui je partageais ma chambre. Je lui ai dit que je n'arrivais pas à dormir. Michel m'a proposé une solution: la prise de l'ours. Michel était un amateur de combats de lutte télévisée. Il m'a expliqué que cette prise endormait celui qui avait le malheur de la subir. Elle consistait à prendre l'adversaire par-derrière et à lui comprimer la cage thoracique. Ce que m'a fait Michel avec toute la force de ses bras d'enfant. Après un moment, je l'ai entendu me demander: «Dors-tu?» Le pauvre était à bout de forces. Je ne dormais pas. Au contraire, sa prise de l'ours m'avait excité, mais j'ai fait semblant de m'endormir. Il m'a lâché. Je me suis laissé tomber sur le matelas. Michel a reposé sa question avec une intonation de victoire : « Dors-tu ? Dors-tu vraiment, Lâm ? » Je me suis mis à ronfler. Michel a collé sa tête sur mon cœur. Il a tenté de me soulever. Le poids de mon faux sommeil pesait lourd. Il m'a laissé là où j'étais. Comme j'ai aimé le moment où, avec son oreille chaude, il a touché mon cœur !

Le lendemain, j'étais impatient de lui demander de me refaire sa prise de l'ours. Michel a sauté dans mon lit, m'a serré la poitrine. Mais cette fois-ci, Christophe, je n'ai pas pu garder mon sérieux. Je suis parti d'un rire incontrôlable. Michel m'a retourné vers lui pour me faire taire. J'ai continué de plus belle. « Qu'est-ce que tu as, Lâm ? Tu deviens fou ! » J'avais soudainement l'impression que quelqu'un d'autre riait à l'intérieur de moi. Michel me fixait avec des yeux ronds : « Si tu n'arrêtes pas de rire de moi, j'appelle maman et je lui dis ce que tu fais avec ma sœur quand tu vas dans son lit ! » Ses cheveux courts, coupés en brosse, lançaient en l'air des petits pics de défi. Le rire, en moi, a cessé. « Et qu'est-ce que je fais avec Micheline ? Je suis sûr que tu ne le sais pas ! » Michel m'a fait une prise de tête, pour bien montrer qu'il avait la situation en main. « Si, je le sais ! Vous jouez aux animaux. » Je me suis défait de son étreinte et je lui ai fait un ciseau avec mes jambes. « C'est Micheline qui t'a raconté ça ? » Michel m'a mordu un mollet. Je l'ai serré encore plus fort avec mes jambes. « Non, j'ai tout vu moi-même. Je vous ai espionné. Je suis le plus grand espion de la terre. Tu ne le savais pas ? » Sans crier gare, je l'ai embrassé dans le cou. « Qu'est-ce que tu fais ? » J'ai commencé à le lécher comme si j'étais un chaton. « Je joue aux animaux. » Ce soir-là, sans le savoir, j'avais offert à ma sœur morte la moitié de mon corps. C'était comme si elle avait ri en moi. Tu sais,

Christophe, j'ai vu des hommes sales jeter son cadavre dans la mer. Ça se passait sur le pont d'un navire. J'ai vu ma sœur disparaître dans les flots noirs.

Lâm a gardé le silence. Je ne savais que lui dire. Il a bu un peu de café, a repris son récit.

— J'ai vite pris l'habitude d'alterner mes jeux avec les jumeaux. Un soir, avec Micheline. Le lendemain, avec Michel. Avec lui, un frisson parfois m'ouvrait les os comme la pointe du couteau ouvre une huître. Je lui demandais de m'appeler Michèle. Je lui disais que j'étais sa deuxième jumelle. Je me retrouvais avec deux personnalités qui doublaient mes plaisirs. Et surtout, je ne sentais plus le besoin de vérifier si j'avais perdu une partie de mon corps en courant après un chien ou en sortant du bain.

Un soir, Micheline nous a fait la surprise de venir nous rejoindre. Entre les jumeaux, je goûtais les saveurs de l'harmonie enchaînées les unes aux autres. Nous formions un engrenage dont le mécanisme, son cycle terminé, se remontait de lui-même. Je nageais, je volais, je confondais le haut avec le bas. Avec tous nos bruits d'animaux, les Grenier n'ont pas été longs à faire irruption dans la chambre des fautifs. J'ai été chassé de nouveau de ma famille d'accueil. Cette fois-ci, on a pris soin de m'expliquer les motifs de mon expulsion. Je découvrais que j'étais un monstre, un désaxé. J'avais désormais un dossier et le privilège de rencontrer régulièrement des psychologues.

Ensuite, j'ai vécu plusieurs années dans différentes familles qui, toutes, étaient sans enfants. Dès que je l'ai pu, je suis retourné à Montréal où j'ai été admis au Conservatoire d'art dramatique. C'est par hasard que j'ai retrouvé Anna sur un plateau de tournage. Je jouais un kiwi pour une publicité de yogourt. Anna jouait une fraise. Elle s'est évanouie quand elle m'a reconnu. Nous avons ri et pleuré dans nos costumes de fruit. Anna m'apprit qu'elle venait de terminer sa formation d'actrice à l'École nationale de théâtre. Je me souviens que, le soir même, nous avions été voir un film qu'un cinéma de répertoire repassait : *L'Exorciste*. À la sortie, les scènes où la petite fille possédée tournait sa tête comme une toupie, en crachant des obscénités et de la morve verte, nous poursuivaient encore. Tremblants, riants, nous nous sommes déclarés les personnes les plus peureuses et les plus heureuses du monde, respirant à grandes bouffées l'air frais de cette soirée d'automne, remerciant la vie, les passants, les rues, les autos, les arbres de ne pas être possédés par les forces du mal, rendant grâce à la beauté de la ville, essuyée par le vent, de nous accompagner jusqu'à l'appartement d'Anna d'où je ne suis ressorti que plusieurs jours plus tard, après le plus grand marathon d'amour de ma vie.

Je me suis finalement installé chez elle. J'étais comblé, Anna était comblée, nos carrières démarraient plus rapidement que nous l'avions imaginé. Peu de temps après, tu as fait irruption dans ma vie. J'imagine que tu te rappelles de quelle sorte d'irruption je parle. En une fraction de seconde, un homme s'est retrouvé, gesticulant, hurlant, au milieu de notre salon parsemé d'éclats de verre. Un homme vêtu de noir, le visage dans une sorte de cagoule. La peur des arrestations et des massacres, que j'avais vécue au Viêtnam, a refait surface. Une peur intacte, pliée et repliée, bien cachée au fond de moi. Sur le moment, j'ai pensé que la guerre, comme un infatigable chien, avait retrouvé ma trace et était sur le point de m'étouffer dans sa boue. Mais la guerre est sortie comme elle était entrée, par la fenêtre. Le choc passé, Anna m'a expliqué qu'elle avait finalement reconnu le fou qui venait de plonger du troisième étage, emportant avec lui son manteau ! C'est ainsi que j'ai entendu ton nom pour la première fois. Anna te considérait comme un ami, un frère. Toi, tu demeurais vierge pour elle. Je n'arrivais pas à croire une chose pareille, moi qui faisais l'amour plusieurs fois par semaine ! Et comment Anna avait-elle pu vivre avec quelqu'un qui ramassait les morceaux de nourriture qu'elle laissait dans son assiette pour, en cachette, les savourer avec des larmes dans les yeux ? Elle t'a mis à la porte. Elle a cru qu'il n'y avait pas d'autre solution.

Quelques mois ont passé. Une vapeur, un petit brouillard bleu rôdait dans mes pensées depuis que je connaissais ton existence. Je n'arrivais pas à m'expliquer l'attraction qu'exerçait sur moi la seule pensée que tu existais. Je ne tenais pas à mettre des mots sur les sensations qui m'habitaient de peur que, une fois nommées, elles prennent une valeur officielle et deviennent pleinement légitimes. Mais Michèle est tenace : elle a réussi à imposer ses désirs. Christophe, tu sais ce que j'ai fait ? J'ai retranscrit tes messages. Ton *annalexique*: c'est comme ça que tu as appelé tes messages, non ? Anna et moi les avons écoutés sur le répondeur en pouffant de rire mais, en son absence, je me suis dépêché de les coucher sur le papier. Tu as laissé ces messages en sachant que je pouvais les écouter. Tu proposais des rendez-vous à Anna en sachant que nous vivions ensemble. Ton amour t'a rendu désespéré au point d'agir comme si je n'existais pas. Ça m'a rendu fou. Il est arrivé une fois que je sois là quand tu as téléphoné. Je n'ai pas prononcé un

mot. Tu continuais à répéter : « Anna ? Anna ? Anna ? »
J'ai raccroché. Qu'est-ce qui m'arrivait ? J'ai continué
de travailler. Anna et moi avons terminé le tournage
de la série *Cul-de-sac*. J'ai accepté ensuite de jouer dans
un court métrage. Un petit rôle. Anna, elle, travaillait
comme une folle. Elle rentrait tard, fatiguée, exaltée.
Nous parlions un peu. Elle s'endormait vite. Entre le
silence de la nuit et le souffle régulier d'Anna endormie
s'est glissée, insistante, la présence de Michèle.

Une nuit, il n'y a pas très longtemps, je me suis levé
et, dans le cahier où j'avais transcrit tes messages, je me
suis mis à écrire. Au matin, après le départ d'Anna, j'ai
ouvert le cahier. Le petit brouillard bleu, celui qui vaga-
bonde dans mes rêveries quand je pense à toi, a empli
la pièce. J'ai lu les pages écrites la veille. Elles parlaient
de toi. Et c'est Michèle qui les avait écrites. Une Michèle
qui s'est affirmée depuis. Au point où tu peux la voir
avec cette perruque, cette jupe, ce maquillage, au point
où je... ah, Christophe, quand je t'ai vu tout à l'heure
ramasser les débris de ta sculpture, j'ai voulu fuir sans
te dire au revoir. Dans mon énervement, j'ai ouvert la
mauvaise porte. Je me suis retrouvé dans ta chambre
noire. Je me suis dit : « Tu viens de t'introduire dans sa
Machine-à-Anna. C'est ici qu'il l'agrandit, la multiplie.
Tu n'as rien à faire ici. Sors d'ici ! » Mais mon attention
a été attirée par une ampoule. Elle faisait du bleu dans
son coin. À côté d'elle, une autre ampoule, éteinte et
rouge, avait l'air d'un œil endormi. Derrière elles, pu-
naisée, une photo gondolait. Je me suis approché pour
la regarder. C'était une photo d'Anna. Elle se trouvait
sur une plage. Derrière elle se profilait l'océan. Un détail a capté mon regard. Anna portait le manteau de la
sculpture. Je l'avais aussi porté le soir de l'Halloween.

Nous avions, Anna et moi, à ma suggestion, échangé nos vêtements. J'en avais éprouvé de la volupté. Comme tout à l'heure quand j'ai trouvé le courage de fouiller dans ses tiroirs pour lui emprunter deux ou trois petites choses. J'ai pris la photo pour l'examiner. J'ai eu l'impression qu'elle s'effaçait sous mes yeux. J'ai éteint l'ampoule bleue. Je me suis retrouvé dans une obscurité parfaite. Je touchais mon visage pour vérifier s'il n'était pas en train de s'en aller en douce. J'ai voulu rallumer l'ampoule bleue, j'ai allumé la rouge. La chambre a basculé dans le désir. Je n'avais plus besoin de ces vêtements d'un soir. J'allais m'en débarrasser, te rejoindre et me montrer à toi tel que je... mais j'ai reconnu la voix d'Anna derrière la porte. Mon cœur s'est mis à battre comme un fou. J'ai entendu derrière la porte ce qu'Anna t'a raconté. Elle a fouillé dans mes affaires. Elle a lu mon cahier. Elle sait maintenant...

— Tu veux dire que tout à l'heure elle t'a reconnu?

— Dès qu'elle m'a aperçu.

Lâm me lança un regard tel que je tournai la tête. Comme un idiot, je lui proposai du café. Il accepta. Celui que j'avais fait pour Anna était tiède. Je le jetai, j'en refis du frais. Je dégringolais dans mon tunnel habituel et ne trouvais d'autre solution que de verser du café. Je regardais le visage fardé de Lâm faire tache dans ma cuisine. Une tache en forme d'attente. Pourquoi ma vie finissait-elle toujours par prendre l'allure d'une chute? Je continuais de dégringoler et n'en revenais pas: Lâm, mon rival, celui qui avait séduit Anna comme j'avais rêvé de le faire, buvait mon café dans ma cuisine et brûlait de désir pour moi!

— Christophe, ce soir, je savais que tu attendrais Anna au Beau-Boeing. J'avais écouté les messages. J'ai décidé que ce serait Michèle qui irait au rendez-vous à sa place. Mais qu'est-ce qu'elle allait te dire ? J'ai voulu prononcer quelques mots pour vérifier s'ils étaient conformes au nouveau visage que le miroir me renvoyait. Ma gorge s'est crispée. Je suis parti au Beau-Boeing avec un bloc-notes et un crayon.

J'allai avaler deux aspirines à la salle de bains. Je me rassis à la table de cuisine, face à Lâm. Un sourire aquatique flottait sur ses lèvres peintes. Pourquoi ne l'avais-je pas jeté hors de mon appartement ? Le visage implorant de Rita me paralysait. Je n'avais parlé de mon « aventure mexicaine » à personne, pas même à Xénophon à qui je disais tout. N'étais-je pas en train de vivre avec Lâm ce que Rita avait vécu avec moi ? J'avais l'habitude de voir mon amour refusé. Mais j'avais une expérience pour le moins déficiente du refus de l'amour. Lâm ne soupçonnait pas l'émotion qu'il avait déclenchée. Je me revoyais brandissant le couteau meurtrier dans les airs. Je revivais les ahurissements de cette nuit que Rita m'avait contraint à vivre. Avais-je été hypnotisé par son délire ? Étais-je à ce point sensible à l'amour qu'on m'accorde qu'en retour j'étais prêt à tout, donc au pire ? Manquer d'amour m'avait-il déréglé ? Je racontai mon histoire à Lâm. C'était à son tour de m'écouter. Je trouvai les mots pour faire apparaître la clarté étonnée que répandait la lune sur la falaise de l'Aigle. Je lui racontai les divagations de Rita, ses revirements, son comportement désarmant, sa confession, son amour désespéré, son horrible requête.

11

LE POISSON-PAPILLON

Cette nuit-là, au moment où, dans un cri, j'abaissai mon bras assassin, l'essaim de papillons – le même sans doute qui m'avait conduit à mon rendez-vous – s'était brutalement abattu sur la falaise. Je fus d'abord propulsé en tous sens. Puis le sol se déroba soudainement sous moi. Je perdis l'équilibre. Je plongeai tête première.

Quand je retrouvai mes esprits, mon corps reposait sur les dernières marches conduisant à la grotte. Je relevai la tête. Un rayon de soleil fouilla mon visage. Je gravis à quatre pattes l'escalier de pierre. Près de l'entrée, je mis la main sur un objet : mon collier orthopédique. Je tâtai mon cou. Il était là. Je tâtai ma tête. Elle était là. Je la fis bouger en avant, en arrière. Tout semblait normal. Je trouvai, écrasé contre la paroi intérieure du collier, un papillon. Les monarques ! La mémoire me revint d'un coup. Avec son atroce message : j'avais enfoncé un couteau dans le cœur de quelqu'un. Qu'est-ce qui m'attendait ? La pendaison. Une injection létale dans les veines.

Je me levai pour monter les dernières marches. L'aube m'accueillit en ignorant tout de mon crime. Ou elle fit semblant de s'être levée sur un jour ordinaire. Je clignai des yeux. Plus aucune trace des monarques. Un ciel pur. Je cherchai des yeux le cadavre de Rita. Il n'était pas là. Je tâtai le sol comme si mes yeux mentaient, puis relevai la tête vers le bord de la falaise... et je l'aperçus! Elle était vivante! Son dos faisait une tache claire, immobile. Je l'appelai. Jamais un cri ne m'apparut plus joyeux: il me remettait dans le monde. Je l'appelai de nouveau. Elle ne broncha pas, droite comme une statue contemplant le vide à ses pieds. Je courus jusqu'à elle. J'allais toucher son épaule quand elle se retourna.

— Mon éclaboussure! Regardez comme c'est magnifique: la lumière du matin est la plus intelligente. Elle donne à voir l'important. Où étiez-vous passé? J'ai cru que les monarques vous avaient enlevé. Non, ne me répondez pas. Je vous ai posé la question par gentillesse. Gardez votre mystère. Le soleil vous donne des yeux de chat.

— Vous n'êtes pas morte! Mais le couteau!

— Je l'ai jeté dans la mer.

— Mais je vous ai... Que s'est-il passé hier?

— Alf est revenu. Il m'a pardonnée. Oublions le bruit noir du cœur qu'on arrache. Ne dansons plus le tango. Dansons la valse.

— Mais je...

— Hier, une pluie de sexes doux nous est tombée dessus. Ah, Huachi! Écoutez la brise, elle rit! Elle rit des nouveau-nés parce que rien n'est nouveau. Sauf le cul qui ronronne comme un chat incrusté dans la pierre chauffée au soleil. Ah, Huachi, tic tac, plus de tango, plus de cuisses, je ris comme la brise, je ris de vos cuisses de poulet, j'arrache toutes les cuisses de ma vie, plus de tango, mais une valse aveugle qui fait son chemin entre les sofas du sommeil. Goûtons la nullité du cul qui n'a aucune viande à proposer, vous voulez? Cul en forme de chatouillement, cul grouillant d'antennes, cul lent à se réveiller, qui s'ouvre, qui oublie de se refermer, qui pose des questions sans attendre de réponses, cul pas pressé de faire l'amour, parce que l'amour qui se fait n'est pas l'amour. L'amour ne fait rien, il cul, il cul comme le seul verbe possible!

— Cessez de dire n'importe quoi! Répondez-moi, que s'est-il passé? Je ne suis plus sûr de rien. Le couteau... les papillons... je suis tombé... est-ce que je...

— Le roi des monarques, j'ai vu son âme.

Rita avait déployé ses bras vers le ciel. Elle vociférait, ordonnait aux monarques de revenir. Elle pointait du doigt un point invisible:

— Regardez, Huachi, les monarques! Faisons l'amour! Il n'y a que ça pour les attirer. Revenez! Pétales de sel! Revenez!

J'avais devant moi une dégénérée, mais aussi un maniaque imprévisible, un vampire puissant, invincible. Et j'étais en train de perdre la tête. Ces papillons inoffensifs n'allaient plus tarder à me déchiqueter. Je ne me souviens plus, Lâm, comment je me suis retrouvé au bord de la route asphaltée. Je me revois faire des signes désespérés à un minibus. Une heure plus tard, j'avais plié bagage, j'étais sur le quai, anxieux, craignant de voir arriver Rita escortée d'un escadron de papillons. J'ai pris le premier bateau qui s'est présenté. J'étais incapable de demeurer assis. J'étais certain que le bateau irait plus vite si je me tenais debout à observer Isla Mujeres rapetisser au fur et à mesure qu'on s'en éloignait.

Quelques minutes plus tard, je me retournai pour apercevoir la côte. La panique s'empara de moi: nous n'allions pas à Cancún. Je sautais sur le pont en criant: «*Dónde* va le bateau? *¿Dónde, dónde?*» Il allait à Cozumel, une autre île. Je regardai les passagers: des villageois, des pêcheurs, des marchands. Plusieurs avaient posé à leurs pieds des paniers de fleurs et de légumes. Ils allaient travailler. Ils me souriaient. Tous me souriaient. Un complot se tramait contre moi. Tous étaient de connivence pour m'empêcher de retourner à Cancún. J'allais crever à Cozumel, Rita et ses papillons me rattraperaient. Un vieil homme me fit signe, avec sa grosse main rouge, de m'asseoir près de lui. Je m'enfuis à l'autre extrémité du bateau. J'entendis des gens rire. Ils se moquaient de moi, ils racontaient sans doute des atrocités à mon sujet. Puis plus rien. Le vent, le bruit des vagues, la vibration du moteur. Je me calmai, me raisonnai et, finalement, c'est moi qui me moquai de moi.

À Cozumel, un ferry était sur le point de partir pour Playa del Carmen. Je ne serais plus alors qu'à une demi-heure d'autobus de Cancún. J'embarquai en vitesse. Pour tromper mon impatience, je fixai la coque rongée du bateau qui fendait les eaux. Le bateau toucha enfin Playa del Carmen. Ce n'était qu'un petit village de pêcheurs avec quelques hôtels, tous en construction : une animation faite de poussière soulevée, de marteaux-piqueurs, de béton. J'assistais au début d'un massacre, celui d'un village paisible transformé en centre touristique. Je repérai une rangée de taxis. J'étais incapable de me mettre à la recherche d'un autobus ou, pire, d'en attendre un, ou encore – ce qui serait pire que pire – de me tromper et de monter dans un autobus qui m'amènerait très probablement au Belize. J'ouvris la portière d'une voiture : « *¡Cancún! ¡Cancún! ¡Por favor!* »

Le taxi démarra. Un instant plus tard, j'étais plié en deux sur la banquette arrière et je riais. Des rires nerveux incontrôlables. Comme si je venais d'échapper de justesse à la mort. Le chauffeur a garé le taxi sur le bord de la route. Il a cru que j'étais drogué ou malade. Je suis sorti de l'auto. Quand j'ai enfin pu reprendre mon souffle, j'ai aperçu devant moi une construction toute simple, surmontée d'un toit de palmes. Il y avait, accroché sur un poteau, un panneau de bois où étaient gravés les mots « Marlin Azul ». La mer scintillait derrière. Le ruban de la plage, d'une blancheur immaculée, faisait ressortir la nappe turquoise et brillante des vagues. Quelques cocotiers, espacés, contemplaient l'infini et ajoutaient une exclamation de joie dans un ciel sans nuages. Sans le moindre avertissement, sans que mon âme ne détecte le moindre petit signe avant-coureur de ce qui allait se passer, comme si le présent était une matière à jamais indéchiffrable et n'avait rien à voir avec l'avenir le plus rapproché, je ressentis dans les profondeurs de ma chair que j'étais « arrivé » quelque part. Précisément là où le taxi avait stoppé commençait le bout du monde, seul lieu possible pour que le bruit de mon existence, avec sa peur, se taise enfin.

Je sortis mes bagages du taxi, je payai le chauffeur et j'entrai sous le toit de palmes. Je vis devant moi des cadavres suspendus. J'attendis que mes yeux s'adaptent à la pénombre avant d'oser quelques pas. Je distinguai, accrochées à un mur, une carapace de tortue, une peau d'iguane surmontée d'une mâchoire, la sienne sans doute, une peau de chevreuil, une autre de crocodile, deux mâchoires de requins, des cruches en terre cuite. Au centre du mur se trouvait une petite niche où on avait déposé un panier en osier qui contenait deux bouteilles de ketchup. Il y avait des tables avec des chaises au dos sculpté. L'endroit servait de réfectoire ou de restaurant. Sur le plancher à carreaux rouges et blancs traînait un jaguar empaillé. Dans un coin, une grande cage où rêvaient deux bébés perroquets que je crus aussi empaillés. Puis je remarquai un petit comptoir. Des revues graisseuses aux coins retroussés traînaient. Le temps s'était arrêté. La brise du large faisait flotter les bouts de palmes qui pendouillaient du toit. Près de la pile de revues, un timbre étincelait, petit dôme de métal surmonté d'un bouton. C'était la première fois que je revoyais cet objet depuis mon enfance. Ma maîtresse de première année en avait placé un sur le coin de son immense pupitre. Quand nous étions turbulents, elle donnait un coup sec sur le timbre. La sonnerie nous ramenait à l'ordre. Celui que j'avais sous les yeux était parfaitement identique à celui de mon souvenir. Je le frappai, mais avec beaucoup moins d'aplomb que ma maîtresse d'école. Rien. Il n'y avait aucun son. Un timbre sans son! Vraiment! Même le son s'était arrêté ici. Un homme, pourtant, apparut dans le cadre de la porte qui donnait sur la plage, sa silhouette dessinée à contre-jour.

— *Hi! Do you need something?*

Un Américain. Son accent ne laissait aucun doute. Son accoutrement débraillé tranchait avec celui des Mexicains amidonnés que j'avais croisés dans les hôtels. Dans la quarantaine avancée, crâne dégarni. Plutôt jovial. Très décontracté. Sa question me concernait d'une façon intime. De quoi avais-je besoin?

— *Do you need something?*

Il avait répété sa question.

— *A place, a room, something to stay.*

— *For a long time?*

— *I don't know.*

— *Anyway, you do what you want.*

160

You do what you want. Il y avait une éternité qu'on ne m'avait pas dit cela. Cette petite phrase agit sur moi comme une formule magique. Oui, je fais ce que je veux.

Je suivis l'Américain sur la plage. Il me laissa transporter mes bagages. Je trouvai ça correct. Il me montra des petites cabanes, habitations blanches qui flambaient dans la lumière. Il y en avait une dizaine.

— *Choose the one you want, you're the only tourist for the moment.*

Je choisis l'avant-dernière. Sans raison particulière. Il me donna la clef et me laissa seul. La porte était fermée par un gros cadenas rouillé par le sel de mer. Je l'ouvris. À l'intérieur, il y avait du sable sur le plancher, un lit, une petite table en bois, une chaise en rotin et le bruit de la mer. J'avais la sensation que, dans cette chambre, je serais invisible, protégé par la nullité de l'univers. Rita et ses monarques ne pourraient jamais me trouver ici. Je me couchai et, malgré la lumière de l'après-midi, m'endormis. Quand j'ouvris les yeux, il faisait nuit. J'avais faim. J'attendis que le jour se lève, apaisé par la brise soulevant le pan du rideau déchiré.

Je passai les premiers jours à Marlin Azul étonné de simplement vivre. Je promenais, entre mes deux yeux et mes deux oreilles, une portion de vide qui me faisait le plus grand bien. Je m'évaporais dans la chaleur du ciel. Mon projet de photographie refit surface.

Je sortis mon appareil photo de son étui. Il n'y avait que la mer, des palmiers, une route poussiéreuse, des broussailles, des falaises affaissées, égrenées, des rochers léchés par les vagues, une lumière ahurissante, des coquillages étincelants : des cartes postales, tout ça. Mon Canon me tomba des mains. Quelques jours plus tard, j'essayai de nouveau. Mais, à ma grande surprise, je commençai à pleurer. J'allai remettre mon Canon dans son étui et rédigeai une lettre au gouvernement canadien. Je me dénonçais. J'avouais aux gens du Conseil des arts, de même qu'à tous les contribuables du Canada, ma tricherie. Jamais je ne pourrais mener à terme, comme je l'avais écrit, mon projet artistique. Je découvrais que le photographe en moi était mort. Je perdis le sommeil. Je passais mes nuits à écouter le bruit des vagues.

Les événements de la Nuit des Papillons revinrent me hanter. Je ne supportais plus le soleil. Je passais mon temps dans ma petite chambre, à suer, à suer, à suer. J'avais peur des scorpions. Je vérifiais cent fois par jour mes sandales, mon matelas. Des touristes belges avaient envahi Marlin Azul. Un couple d'Allemandes aussi. Je les fuyais, essayais de manger le peu que mon estomac pouvait accepter à des heures impossibles pour être certain d'être seul au restaurant. Finalement, je finis par me l'admettre : je ne pensais plus qu'à Rita.

Je ne me rasais plus. Je n'avais plus de centre, plus de clou où accrocher le cadre de mes expériences. Je dégoulinais. Une image me poursuivait : la tête de l'ange. Je revivais le moment où je m'étais retrouvé face à face avec elle dans la grotte. Après plusieurs nuits d'insomnie, d'interrogation, de piétinement moral, j'abdiquai. J'avais rêvé. Rien ne s'était produit. Peut-être avais-je effectivement rencontré une femme sur la plage de Cancún. Elle ressemblait peut-être à un homme. Sans doute quelques détails m'avaient alarmé, un peu de barbe sous le nez, des épaules trop fortes, l'absence de rondeur çà et là, rien de plus. Nous avions discuté un peu. À la limite pris un verre ou deux. Elle m'avait raconté sa vie : des petits bouts, rien d'extraordinaire. Et puis nous nous étions quittés : par lassitude, par banalité, parce qu'il était tard, que le soleil de la journée nous avait ramollis. Le reste avait été une excroissance qui avait poussé sur je ne sais quel tronc. Je n'étais pas un arbre. Ce n'était pas moi qui avais imaginé cela.

Le lendemain, tout rebasculait. Mon esprit rejetait ces élucubrations, me ramenait à la case départ : tout s'était produit. Je finis par user le réel à force de le mettre en doute, de le retourner en tous sens, de passer mes doigts dans ses trous. Je ne voyais plus la mer et son infini vert, je n'entendais plus le bruit vivant de ses vagues. Le fantôme de Rita avait remplacé celui d'Anna. Il ne me lâchait plus. Puis, une nuit, je compris la signification de mes tourments : j'avais voulu tuer quelqu'un. Moi, Christophe, possédais l'âme d'un meurtrier. Ma raison ne voulait pas l'admettre et préférait me convaincre que j'avais rêvé. Que s'était-il passé cette nuit-là ? Avais-je réellement voulu enfoncer un couteau dans le cœur de quelqu'un ? L'avais-je fait ? Rita était pourtant vivante. Mon esprit s'embrouillait. Je devais aller au bout de cette histoire. Trois semaines après mon arrivée à Marlin Azul, je pris la décision de retourner à Isla Mujeres.

Avant mon départ, je courus me jeter dans la mer pour lui faire mes adieux. Je barbotai un peu. Je fis quelques brasses. Puis je m'immobilisai. Quelqu'un me mordait une jambe. Quelqu'un ? Non, un poisson-scie, un requin. Je compris ce qu'on voulait dire par « prendre ses jambes à son cou », expression que j'incarnai avec la plus grande exactitude. Sur le sable, je me mis à danser avec fureur. Je n'avais pas été mordu. Hors de l'eau, je ressentais plutôt une brûlure sur la cuisse droite. Je l'examinai. Elle semblait normale. Une touriste belge s'était approchée de moi, alertée par mes cris et ma danse expérimentale. Je lui expliquai mon malheur. Elle me fit asseoir, inspecta ma cuisse, lança un cri de victoire. Elle pointait du doigt des marques rouges qui venaient d'apparaître sur ma peau. Du coup, j'allai mieux. Je n'étais pas fou. Je souffrais réellement. Trois autres touristes, belges eux aussi, s'approchèrent. Je fus examiné de nouveau. Mes rougeurs prirent de l'ampleur. Ma cuisse se boursoufla. Une discussion animée s'ensuivit. Le verdict tomba : j'avais été en contact avec une méduse. On me rassura. Ce n'était pas mortel. L'irritation allait diminuer d'elle-même. Un peu de crème hydratante ne ferait pas de mal. Après tout, il faut bien que les méduses s'expriment, n'est-ce pas ? Je les remerciai, repris mes jambes à mon cou. Il était temps que je quitte Marlin Azul.

Je débarquai à la gare d'autobus de Cancún. Je me précipitai à une agence de voyages. Avant de retourner à Isla Mujeres, je voulais m'assurer d'un vol de retour pour Montréal. Le prochain partait dans deux jours. Je déposai mes bagages à la consigne, pris un taxi pour Puerto Juárez où je m'embarquai de nouveau sur le ferry qui faisait la navette entre la côte et Isla Mujeres. Je me retrouvai, le cœur battant, sur le sol maudit de l'île.

Pourquoi n'étais-je pas demeuré immobile dans une chambre d'hôtel de Cancún, fixant une à une les heures, les minutes même, les comptant, les vérifiant, pour être certain qu'elles s'accumulent correctement et me conduisent sans retard, sans bavure, au décollage de mon avion ? Une force lugubre sans doute m'habitait. Comme un automate, mes pas me ramenèrent à l'hôtel Rosario. J'examinai sa petite façade colorée. Oui, j'avais dormi là. Pourquoi insister là-dessus ? Je me dirigeai vers la boutique de motocyclettes. J'entendais de nouveau les battements de mon cœur. Le jeune garçon allait me reconnaître comme le voleur de moto, alerterait la police. Je me retrouverais en prison. Je mourrais vierge, grugé par des rats. Je ralentis. Le garçon se trouvait bien à son poste. Je lui souris. Il me rendit mon sourire. Soulagé, je continuai mon chemin vers le cimetière. Je franchis le seuil du portail. Comme si j'étais un habitué des lieux, je tournai à gauche. Celui que je cherchais était là. Il avait retrouvé sa tête. Je m'agenouillai. Dans la lumière aveuglante de midi, je m'adressai à l'ange : « Elle va venir, non ? Elle vient tous les jours à trois heures. C'est ce qu'elle a dit, non ? Je vais l'attendre ici. Je dois lui parler, je... je ne peux pas continuer à vivre avec cette idée, avec cette sensation... est-ce que j'ai vraiment voulu... »

Je me tus. Je venais d'entendre chuchoter. J'examinai les alentours. Je ne vis personne, hormis l'ange qui bouillonnait dans la lumière. Je m'adressai de nouveau à lui : « Oui, est-ce que j'ai vraiment voulu... »

De nouveau j'entendis chuchoter. Je me retournai : personne, que des tombes, du sable et une chaleur insupportable. Je me rapprochai de l'ange. Me parlait-il ? Ses lèvres blanchies pourtant ne remuaient pas. Une pensée saugrenue me traversa : et si Rita s'était emmurée dedans ? Je collai mon oreille contre la statue. Le marmonnement se transforma en une suite de mots distincts :

— ... failli te tuer. J'aurais dû te tuer. Trop tard. Tu es mort. Tu m'as fait subir tous les outrages... Les papillons ! Les papillons ! Combien de fois, en cachette de maman, tu m'as raconté cette histoire pour m'endormir... Les papillons ! Au téléphone, tu m'as dit : « Viens me rejoindre au Mexique, fais un effort, tu t'occuperas de mes funérailles, j'ai besoin de toi. » Besoin de moi !

Tu n'as jamais pensé à moi comme à un être humain. Pour toi j'étais... j'étais... oui, qu'est-ce que j'étais pour toi? Quand tu m'as annoncé que les médecins t'avaient condamné, j'ai cru que c'était encore un de tes pièges. Qu'est-ce que tu n'as pas inventé! Je vais te dire : quand j'ai réalisé que tu avais une souris en train de te grignoter le cerveau, je n'ai pas pu m'empêcher de me mettre à danser. Je vais pouvoir enfin...

J'avais contourné l'ange. Il y avait bien quelqu'un qui parlait, mais pas à l'intérieur de la statue, simplement derrière. Je l'ai reconnu tout de suite : Andy. Le garçon au Polaroïd. Celui qui ne savait pas que John Lennon avait fait partie des Beatles. Il était assis, à moitié mangé par le sable, adossé mollement au socle de la statue, une Corona dans la main, habillé d'un boxer jaune, torse nu, mouillé de sueur, taché, son visage rose ayant viré au rouge écarlate. Au moins une dizaine de bouteilles de bière vides l'entouraient comme une couronne funèbre. Il ne me vit pas tout de suite. Il continuait de parler, la tête pendante.

— Tu es bien Andy?

Il releva lentement la tête, me regarda sans surprise.

— Il avait raison. Il m'avait juré que tu reviendrais. Mon père avait toujours raison.

— Ton père?

Andy lança dans le ciel la bouteille qu'il tenait à la main, essaya de se lever, retomba dans le sable, se reprit en s'appuyant sur la statue, se retrouva debout, dos à moi. Qu'est-ce qu'il était en train de faire? Je crus qu'il s'était détourné de moi pour pleurer. Je m'approchai de lui. Il se retourna brusquement. Il était en train de pisser.

— Ses derniers moments ont été atroces. Il n'a jamais raté une occasion de me mettre dans l'embarras. Il m'a imposé le spectacle de sa mort. Aujourd'hui, j'arrose ses funérailles. Il doit être heureux, il est enterré près de son ange.

Andy, toujours en pissant, se rapprochait de moi. J'étais désorienté. Rita était morte et je découvrais qu'elle avait un fils.

— Alors te revoilà, toi !

— Moi ?

— Le poisson.

— Le poisson ?

— Le papillon.

— Le papillon ?

— Le poisson-papillon. C'est comme ça qu'il me parlait de toi. Il t'a eu, hein ? Tu sais quoi ? J'ai publié un livre à quinze ans. Un récit vécu. J'avais de quoi raconter. Je suis passé à la télé. Je n'ai pas nommé mon père, je ne l'ai pas accusé, mais je lui ai fait peur. Ça oui. Je le tenais. C'était le juste retour des choses. Ma mère l'a mis à la porte. Ça faisait une éternité qu'ils se détestaient. Moi, le con, j'ai commencé à avoir des regrets. J'en ai chialé un coup pour lui. Ne fais pas cette tête, mon père m'a tout raconté, il t'a cerné du premier coup d'œil, il t'a bien eu, hein, il était génial, mon père, mais pas commode, pas gentil, mesquin, jaloux, envieux, une aubaine ! Ce qu'il a pu me raconter comme salades ! Ça m'a donné un goût de la vie difficile à avaler. Qu'est-ce que tu penses que je suis devenu, un génie, un plombier, un désaxé ? Rien, mais rien, je te dis, je suis rien. Tu sais pourquoi ? Parce que je suis totalement satisfait, et quand tu es totalement satisfait, tu te sens obligé d'être heureux, sinon rien n'a du sens, alors je suis bouddhiste.

Ne va pas te mettre à rire, je suis vraiment bouddhiste. Qu'est-ce que ça fait du bien de le dire, mais c'est tout, hein, une fois que c'est dit, c'est déjà passé, parce que je ne suis plus bouddhiste, c'est juste que j'y ai pensé, imagine, faire le vide, se détacher comme ils disent dans l'Himalaya, comment veux-tu que je me détache quand j'ai ça entre les jambes? Tu veux la vérité, j'ai dix-sept ans, je ne pense qu'à ça. Je suis comme lui, il m'a implanté ça sous les ongles. Qu'est-ce qu'il ne m'a pas dit pour me convaincre que j'étais un élu! Ah, précoce, précoce, qu'est-ce que c'est bon quand c'est précoce, vert jusqu'à la nausée, quand c'est frais, insignifiant, et zen au centre, comme un bonbon en spirale, qu'est-ce que ça rend intelligent et anesthésié! Tu comprends tout, tu cesses de t'interroger. Le sexe, tu sais quoi, le sexe c'est l'ultime réponse, le bouchon cosmique, ça ferme la gueule à l'infini, après, qu'est-ce que tu veux de plus, après, tu veux juste recommencer. Un tic, pas nerveux, pas cardiaque, un tic de Dieu, oui, Huachi, c'est Dieu sous forme de tic! Ça te démange, tu fris dans l'huile, tu gigotes. Mon père était génial, mais c'était un salaud. Tu sais que nous nous sommes disputés à ton sujet, ça, il ne te l'a sûrement pas susurré à l'oreille qu'il avait un fils, ça, ça l'embêtait. Depuis la parution de mon livre scandaleux, mon papa aux mille mains ne m'a plus touché, il m'a boudé pendant un an. Remarque, je m'y attendais, mais j'ai souffert, qu'est-ce que je te disais... je te disais que... ah oui, mon père et moi, on s'est disputés à cause de toi, tu comprends, moi, j'étais contre, quand il m'a dit qu'il avait déniché un poisson, je l'ai traité de fou, il était en train de crever, ce n'était pas le moment de s'envoyer en l'air avec toi. Huachi par-ci, Huichi par-là, il n'en démordait pas de son poisson. Ce qu'il a pu te raconter de conneries pour t'appâter, il est génial, mon père, génial, il aurait dû faire des films au lieu de perdre sa vie dans l'import-export...

— Il n'était pas ingénieur?

Andy, qui, heureusement pour moi, avait enfin cessé de pisser, n'avait visiblement pas entendu ma question et continuait sur sa lancée, les deux bras au ciel.

— ... au moins il a fait du fric, je suis riche maintenant, et c'est ça le problème, qu'est-ce que je vais faire de mon argent? Ça me rend triste, je suis trop généreux, je dois me retenir pour ne pas tout donner au premier venu. Tu ne me crois pas? Eh bien, libre à toi de penser comme tout le monde, c'est la preuve que tu es banal. Peux-tu imaginer pire destin pour un homme que d'être banal? Tu vois, tu sembles d'accord avec moi, la banalité, ça enlève le sel au sel, le sucre au sucre, je déconne, excuse-moi, c'est pas beau, hein, un beau gars comme moi, avec des pectoraux coupés au couteau, tu veux connaître mon secret?

Là-dessus, Andy s'écrasa sur le sable comme un sac. Je crus qu'il s'était évanoui. Je me précipitai pour lui porter secours tout en me demandant bien de quel secours il aurait besoin. Je me penchai sur lui. D'un geste vif, Andy m'avait agrippé le bras et, avec une force incroyable, m'avait jeté au sol.

— Huichi par-ci, Huachi par-là. C'est vrai que tu n'es pas mal. J'aime tes yeux verts. Surtout quand le soleil plonge dedans. Ça fait jaune. Tu ne serais pas un peu diabolique? Tu vois comme je suis gauche avec toi, je ne sais pas par quel bout te prendre. Je l'avoue, j'étais jaloux. Tu peux comprendre ça, écoute, mon père me fait venir au Mexique, il va crever, il est bourré de médicaments, il ne tient pas à revenir en France, c'est ici qu'il veut rendre l'âme, près de son ange, il me fait tout un numéro, je suis certain qu'il a perdu la tête mais je prends l'avion quand même, je débarque, qui je vois, lui mais déguisé en gonzesse, un clown, il essaie de m'expliquer, moi, j'en ai rien à foutre de ses explications de merde, je l'aide, c'est normal, je ne supporte pas les choses mal faites, je suis un gars sensible, alors je l'arrange, je le maquille correctement, il devient belle, potable, montrable, je suis assez fier de jouer ce tour à mon papa fou, le rendre totalement femme, ça m'excite, ça me rend dingue, puis le soir, dans ma chambre d'hôtel, j'en pleure un coup, je me traite de sauvage, je suis écœuré, je veux m'ouvrir les veines, je finis par écouter la télévision mexicaine, j'essaie de comprendre ce qui nous arrive, mais c'est le noir profond, et toujours ça, le cul, qui me dévore de l'intérieur, je n'ai pas d'espoir, rien qu'à regarder mon père pour comprendre ce que me réserve l'avenir, et toi tu débarques avec ton minois d'adolescent attardé, mon père se fait encore plus belle, je crois vraiment qu'il perd la boule, mais au fond je suis jaloux, je suis venu au Mexique pour l'accompagner dans la mort, c'est lui qui l'a dit comme ça, pas moi, pour l'accompagner dans la mort, et lui, le salaud, il te courtise comme s'il avait retrouvé ses vingt ans et en femme par-dessus le marché et devant son fils par-dessus tout...

Andy s'était relevé et m'avait coincé entre ses deux jambes. Je voyais son visage, penché sur moi, déformé, bouffi par l'alcool. Ses longs cheveux blonds, mouillés par la sueur, lui cachaient en partie les yeux.

— ... mais j'avais rien compris, j'étais à cent lieues de la vérité, comment j'aurais pu deviner ce qui se tramait dans le crâne pourri de mon père dément, comment, hein? Au fond, mon père m'a déçu, peut-être qu'il ne m'a jamais pardonné mon succès, j'ai quand même vendu à l'âge de quinze ans cent mille exemplaires de *Mon enfance, un désastre.* C'est vrai que je ne l'ai pas écrit tout seul, mon psychologue m'a aidé. Il s'est d'ailleurs aidé lui-même en utilisant mes services, mais ça c'est une autre histoire que je te raconterai quand tu auras une certaine expérience de la vie. Non, plus j'y pense, plus je crois que mon père n'a pas apprécié que je raconte comment il s'y est pris pour transformer mon enfance en une incessante expérimentation, autrement il n'aurait pas agi comme il l'a fait, surtout à la veille de sa mort, il ne m'aurait pas caché ça...

Andy avait exécuté une surprenante volte-face. Du coup, il me tournait le dos, à quatre pattes, ramassant les bouteilles qui traînaient dans le sable, lapant les dernières gouttes de bière qu'il pouvait trouver. Son short citron faisait une tache comique, mais je n'avais pas envie de rire.

— ... pas caché ce projet fabuleux, tu savais, toi, à quoi il te destinait, petite pâte à modeler? Il t'avait choisi pour jouer un rôle grandiose, tu avais ce qu'il fallait pour le jouer, nez grec, un air d'arrêt d'autobus, et surtout une naïveté immonde, et un manque de jugement révoltant, et une virginité puante, chiante, scandaleuse qui ont fait basculer mon pauvre petit papa dans la démence. Il avait l'intention de se faire arracher le cœur par un débile comme toi, mon père avait du chien, il ne voulait pas crever pour rien, comme un tas, dans un lit d'hôpital, les poignets gonflés de morphine. Il t'a raconté, je sais, ces histoires de sacrifice, ça l'a tenu en vie, ces histoires, juste assez pour le conduire à la mort qu'il s'était choisie, une mort offerte au ciel troué d'étoiles.

Il m'a raconté, c'étaient ses dernières paroles, qu'il ne pouvait pas imaginer meilleur destin que de recevoir le coup fatal de la main d'un vierge, qu'il voulait inverser le processus, tu saisis, pas envoyer un vierge sur la table du sacrifice, mais lui donner le couteau pour qu'il le lève et l'abatte sur sa minable vie, sur sa faute, sur son remords, sur sa bêtise. Il n'a jamais pu se pardonner son rendez-vous manqué avec Alfred, jamais. Ça m'a ébloui, ça m'a donné mal au ventre, j'ai dû aller aux toilettes, quand je suis revenu, il avait un sourire paisible, des larmes au coin des yeux, il m'a raconté la suite et la fin, le fantôme d'Alfred venu en personne lui chuchoter qu'il lui pardonnait, tout un délire, il me disait avec sa voix affaiblie : « Andy, mon petit Andy, Alf est revenu, je pensais aller le rejoindre dans la mort, il est venu me rejoindre vingt ans après sa mort dans la nuit de ma vie, c'est son cœur que j'ai entendu battre au cœur de cette tempête de battements, les monarques ont transporté son regard jusqu'au mien, Huachi a levé le bras, il a crié, j'ai vu le roi des monarques planer au-dessus de ma vie lamentable, j'ai pu contempler l'âme de mon bien-aimé, il est venu me dire qu'il me pardonnait, je me suis tourné, la lame du couteau m'a frôlé. » Tu sais ce que je pense ? Je vais te le dire, ça ne tient pas debout, tu me prends pour qui pour avaler une histoire pareille, non, décidément, ça ne me rentre pas dans la cervelle, comment veux-tu acquiescer, la bouche ouverte, à cette histoire de papillons qui, boum, coucou, voilà, c'est nous les gentilles paires d'ailes, nous venons de la part d'Alfred, il fait dire qu'il se porte comme un charme, il a beaucoup apprécié, vingt ans plus tôt, de faire le saut de l'ange, il s'est brisé les os mais au bout du compte, car à tout il y a heureusement un bout, il y gagne, ça lui permet de jouer au superhéros, d'empêcher un méchant crime inutile et, surtout, de pardonner, voilà le mot : pardonner ? Mon papa fou est mort là-dessus, totalement pardonné, certain de monter au ciel pour aller s'entortiller autour de son Alf pourri. Mais tu me prends pour qui, espèce de vierge monstrueux, de queue nouée, de tordu ? Je sais ce qui s'est passé ce soir-là sur la falaise de l'Aigle, il n'y pas eu de superboum de papillons, d'apparition à la con, de comment on dit ça... de... d'épiphanie, voilà, c'est le foutu mot, d'épiphanie avec son tralala de rédemption, genre c'est la fin du film, sortez les violons, l'éclairage crépusculaire, le spectateur est sur le point d'éjecter, de ses sales glandes incontinentes, une larme, ligoté sur son fauteuil pisseux, une larme, preuve que c'est top, que c'en est même trop top ! Non, il n'y a rien eu de toute cette supermerde bourrée d'étoiles parce que c'est toi, avoue-le, c'est toi qui n'as pas eu le courage de frapper mon père en plein cœur comme il te l'avait si gentiment demandé, c'est toi le fauteur de merde, le poltron, toi qui n'es pas allé au bout de cette grandiose histoire ! Tu n'es pas digne de posséder un sexe, tu aurais dû naître sans cul, rond comme une balle de golf, un phénomène de cirque exhibé dans la lumière glauque des tentes délabrées. Sais-tu ce que tu as fait ? Tu as privé mon père de sa mort, celle qu'il a rêvée pendant vingt ans, celle qu'il a dû imaginer des milliers de fois, retournée en tous sens dans sa tête douloureuse. Il avait besoin de cette mort-là pour mourir comme il avait vécu. Tu lui as volé cette mort à la dernière seconde. Qu'est-ce que tu as pu lui dire, lui faire, pour qu'il croie à cette abracadabrante histoire de papillons, que tu le plonges dans la plus incroyable des hallucinations, pour qu'il se sente absous de son crime sans l'avoir vraiment payé ?

C'est moi qui aurais dû avoir le couteau dans la main, moi qui aurais dû l'abattre sur son cœur de vaurien, moi qui aurais dû le soulager jusqu'à la fin des temps. Tu as pris ma place, tu m'as volé mon père, tu as volé sa mort, tu m'as volé mon meurtre! Qui es-tu, yeux verts, cuisses faibles, Huachinango, hein, mauviette? Tu n'as pas eu le courage d'aller jusqu'au bout, de tuer, rien que tuer, c'est comme l'amour, non, comme le sexe, tu mérites quoi, tu mérites quoi?

Andy m'avait raté. Il venait de me lancer une bouteille de bière. Assommé par le soleil, mais encore plus par le flot de paroles qui venait de sortir de sa bouche comme un interminable serpent, je me sauvai, craignant que le pire était encore à venir. Andy, malgré son ébriété ou à cause d'elle, me rattrapa, me planqua au sol, me tira les cheveux, le nez, me rentra un de ses doigts dans une narine, me pinça les joues.

— Je ne suis pas fâché. J'approuve ce que tu as fait. J'ai peut-être l'air d'indiquer le contraire. Je suis jeune, excuse-moi, je n'ai pas l'habitude des subtilités, donne-moi deux ans, je serai aussi prévisible qu'un homme politique. Tu m'as enlevé une très grosse épine du pied, sans le savoir sans doute, mais, hein, on s'en fout de savoir si ce qu'on sait on le sait parce qu'on le sait ou parce que c'est su quelque part en nous sans qu'on le sache. J'aurais pas voulu, au fond, retrouver le cadavre de mon père au fond d'une crique, déchiqueté, le cœur en moins. Tu imagines les ennuis, le malaise surtout, les histoires à n'en plus finir avec la police? Déjà qu'elle m'a couru après, à cause de toi d'ailleurs. Elle m'a pris pour toi, une autre erreur judiciaire. Il paraît qu'on se ressemble. Je me suis retrouvé en prison à cause de toi, vol de moto, j'ai dû payer, mais je suis riche maintenant, je ne vais pas te demander de me rembourser, j'ai de la classe, du cœur, d'ailleurs ils ont fini par reconnaître qu'ils s'étaient trompés, mais ils ont gardé l'argent. À mon avis, ils ont cru que nous étions ensemble, frères, amis, ou quelque chose d'autre. C'est quand même moi qui t'ai ramené à l'hôpital, tout évanoui, beau comme un amas de pâquerettes et de charbon. Tu faisais exprès, non? Tu jouais au mort, sinon au grand blessé. Je suis certain que tu n'avais rien. Tu sais ce que tu es? Un pervers aux yeux verts, les pires. Et je suis sincèrement heureux que tu sois revenu. J'y croyais pas. Mon père, avant de mourir, m'a juré que tu reviendrais au cimetière lui rendre une dernière visite. Il avait de l'intuition, moi pas. Demain, je quitte le Mexique, je tourne la page, je l'efface, je l'arrache, je l'avale! Je me suis payé une petite fête en solitaire, comme tu vois, j'ai fait mes adieux, j'ai pissé suffisamment sur sa tombe pour qu'il le sente, une petite vengeance amicale. Sincèrement, je tiens à te le répéter, je ne suis pas pingre, je suis heureux que tu sois là, comme ça je peux te remercier, tu as été sa dernière joie, il me l'a dit. Je ne suis pas vraiment jaloux de toi, je voulais t'impressionner, et plus j'y pense, plus je crois que si tu ne t'étais pas pointé, j'aurais tué mon père, oui, je l'aurais tué, pas comme il t'a demandé de le faire, pas avec toute cette gentille mise en scène de film d'horreur de débutant, j'avais mon plan, moins romantique. Je voulais seulement lui couper la queue et la lui faire bouffer! Libre à lui, ensuite, de crever de sa propre mort, douce, lente, annoncée, précipitée, ralentie par la médecine. En fait, je ne l'aurais pas tué, seulement abîmé, on aurait été quittes, abîmés tous les deux. Tu vois comme tu m'as empêché de commettre un acte odieux, toi aussi tu es un ange, tu tombes bien, tu mérites quelque chose, tu n'es pas venu ici pour rien, tu cherches quelque chose, tu vas l'avoir, regarde, sers-toi, je suis ton ange, pourquoi fermes-tu les yeux, pourquoi ne pas regarder le plateau de fruits que je t'offre ? C'est gratuit pour une fois !

Andy était fou. Il me dégoûtait. Il n'avait aucune honte à s'exhiber. Il puait la bière, la pisse. Je lui lançai une poignée de sable dans les yeux. Il hurla de douleur. Je réussis à le soulever, je m'enfuis du cimetière. Je courus sans me retourner. Incapable d'attendre le prochain ferry, je louai une petite embarcation pour retourner à Cancún. Je ramassai mes bagages, pris un taxi, me retrouvai à l'aéroport. Mon avion ne partait que trente heures plus tard, mais je préférais me tourner les pouces jusqu'aux phalanges, assis dans un fauteuil, frigorifié par l'air conditionné, que de demeurer une journée de plus à Cancún. À l'aéroport, j'avais l'impression que le Mexique existait sous une forme moins virulente, qu'une partie de moi, la plus vulnérable, était déjà partie. J'avais une peur bleue de voir arriver Andy. N'avait-il pas dit, dans son délire, qu'il quittait aussi le Mexique ? Je me considérais suffisamment pourvu de malchance pour me retrouver avec lui dans le même avion, assis à ses côtés. Jusqu'au dernier moment, j'ai cru l'apercevoir entrer, toujours vêtu de son boxer dégoûtant, traînant derrière lui ses valises bourrées de Corona. Mais, pour une fois, mes appréhensions ne se réalisèrent pas. C'est au bord du bonheur que je montai, à l'heure prévue, dans l'avion. Rita était morte. Plus jamais je ne devais penser à elle.

C'est au moment du décollage que les premiers symptômes de la fièvre sont apparus. Sur le coup, je crus que c'était l'émotion du retour. Mais après une heure de claquements de dents, je dus revenir sur terre. J'étais malade : fièvre, vomissements. Je passai les douanes, à Mirabel, avec une citrouille en guise de tête. Pendant le vol, des ganglions avaient éclos sous mes aisselles, gros comme des balles de golf. Ma jambe, celle que la méduse avait brûlée avec ses sécrétions, avait doublé de volume. C'est du moins l'impression qu'elle me donnait quand j'essayai de la mouvoir pour enfin fouler le sol de Montréal, puis le plancher poussiéreux de mon appartement où je m'écrasai comme un Boeing, pleurant des larmes inconnues, constatant que je n'étais pas plus heureux chez moi que d'où je venais, que l'enfer était partout, que j'étais en train de me défaire comme une flaque, oubliée de l'univers. Personne n'était au courant de mon retour, pas même Xénophon. Je pourrais tranquillement crever sur place, dans la plus grande paix. Mais déjà le fantôme de quatre lettres insistait pour avoir sa part. J'aimais, j'aimais Anna. Il fallait que je l'aime ! Je n'étais plus rien sans cet amour. À peine la bouche qui pouvait encore prononcer les deux syllabes magiques d'Anna, comme si elle s'était détachée du reste de mon corps, quittant les lieux d'un désastre pour sauver, in extremis, l'essentiel, une petite valise d'amour : deux lèvres chuchotantes.

J'avais dû voir plusieurs médecins avant d'abdiquer. Qui aurait bien pu m'écrire sur papier, avec l'encre officielle de la certitude scientifique, ce que j'avais ramené du Mexique, non dans mes bagages, mais dans mon sang ? La méduse m'avait inoculé un virus. Voilà la version la moins approximative sur laquelle je pouvais me rabattre. J'étais malade. Je ne l'étais plus. Je l'étais à nouveau. Ma jambe avait retrouvé son aspect normal, mais la fièvre, avec ses coups de fouet qui défiguraient le réel, me frappait à l'improviste. J'errais dans mon appartement, ne déplaçant que des moutons de poussière qui me suivaient comme leur berger. Mon allergie à la poussière, aux odeurs avait perdu toute importance. J'éternuais dans l'insouciance. Que m'importaient ces détails plutôt vivants? Je me concentrais sur une seule chose: aimer Anna. Et c'est plongé dans les affres de cette fièvre que j'ai écrit les premières lignes de mon *annalexique*. Ça ne m'a rien rapporté, Lâm, comme tu as pu le constater. Anna n'est jamais venue à mes rendez-vous.

— Moi si.

— Encore du café? Je n'ai plus de lait.

Là-dessus, je m'évanouis. Encore une fois.

TROISIÈME PARTIE

LA BEAUTÉ TOMBÉE DU CIEL

12

REVIENS-VERS-MOI

À ma grande surprise, je reçus une lettre du Conseil des arts du Canada. J'avais oublié que le Canada existait. J'avais oublié que l'art existait et qu'il possédait un Conseil. J'avais même oublié que j'avais été photographe. Je me permis un petit moment de nostalgie. À cause de la lettre. Elle répondait à la mienne, que j'avais aussi oubliée, où je me traitais de trou à circonférence variable parce que le chagrin, matière spongieuse, n'arrive pas à fixer correctement les limites de sa juridiction. Et bien d'autres âneries. La signataire de la lettre me félicitait de mon honnêteté intellectuelle, me suggérait une visite chez un professionnel de la santé, m'annonçait qu'elle m'accordait une prolongation afin d'approfondir ma démarche d'artiste en fonction de paramètres nouveaux. Je déchirai la lettre. « Paramètres nouveaux ! Moi, Christophe Langelier, qui suis-je sinon un amas de paramètres nouveaux ? Tout le mal vient de cette manie de vouloir, contre vents et marées, se ressembler alors que chaque seconde de l'existence nous tire vers d'autres routes, d'autres soleils, d'autres miroirs. J'en suis fier : à présent, je ne me ressemble plus. Et demain, encore moins ! »

Mais que s'était-il passé pour que des phrases pareilles me sortent de la bouche ? Vivre pour moi ne relevait plus de l'évidence mais d'un pari constamment gagné, perdu, regagné, reperdu, jusqu'à l'épuisement du joueur et, même, du résultat final. Peu importait ce qui s'additionnait ou se retranchait, tout cela gravitait autour d'un zéro lugubre qui m'avalait.

Lâm habitait à présent avec moi. Il s'était assuré qu'Anna n'était pas chez elle pour aller reprendre ses affaires, les ramener chez moi. Ils se voyaient pourtant tous les jours puisqu'ils tournaient ensemble *Cul-de-sac II,* après l'imprévu et colossal succès de *Cul-de-sac* qui avait aussitôt engendré un rejeton s'annonçant, au dire de Lâm, grotesque, de mauvais goût, invraisemblable, mais voué à un engouement encore plus malsain. Anna et Lâm, du jour au lendemain, étaient devenus des vedettes, chair fraîche proposée à l'appétit du public. On les reconnaissait dans la rue, on les voyait partout sur les couvertures de magazines. Ils refusaient des interviews, des passages à la télé : trop occupés. Ils incarnaient le couple. C'était Roméo et Juliette sur le boulevard Saint-Laurent. Mais c'était aussi Lâm et Anna et ça me sciait.

Les événements se bousculaient aussi pour moi. Je fus le sujet d'une métamorphose qui me plongea dans le dégoût. Si la plupart de mes symptômes, apparus dans l'avion de mon retour, s'étaient rapidement éclipsés, à l'exception de la fièvre, d'autres avaient pris la relève. Ils étaient apparus au matin de cette nuit où Lâm et moi avions bu trois cafetières, racontant nos vies jusqu'à ce que je tombe, qu'il me mette dans mon lit et décide de se consacrer, en observant les premiers signes de ma spectaculaire métamorphose, au monstre que je devenais, ce qui, loin de l'effrayer, le rebuter, l'écœurer, l'enchantait, l'amusait, l'excitait. Pourquoi Lâm agissait-il ainsi ? Il m'avait imposé sa présence. Il m'avait piégé au Beau-Boeing. Je m'étais comporté avec lui comme un grain de sable qui croit, en s'écoulant du sablier, échapper à la confusion alors qu'il plonge dans un autre tas, annulant de nouveau son petit point gris. Lâm aimait toujours Anna. Il me l'avait répété, mais ça ne l'empêchait pas, disait-il avec un soupçon de sourire, d'en aimer un autre et de ressentir alors doublement l'amour qu'il avait par ailleurs. Lâm, côté cœur, n'additionnait pas, mais multipliait. J'étais dans un tel état que je le laissais faire. Je veux dire : m'aimer, me soigner, habiter chez moi, ne voir Anna qu'au travail, se résigner à perdre son amour, me jurer que je ne lui donnais pas envie de vomir. Car j'étais devenu repoussant. Je perdais des morceaux de peau rien qu'en levant un bras. Mes draps craquaient sous l'accumulation de ces pellicules gigantesques. Autour de ma bouche et dans mes yeux s'accumulait une substance que je n'arrivais pas à identifier. Pourquoi Lâm prenait-il plaisir à laver ce visage gluant ? À me faire manger à la petite cuillère ? À couper mes cheveux devenus un champ d'herbes folles ? J'étais si éloigné de tout, surtout du présent, que je vivais sans pouvoir m'interroger sur ce qui m'arrivait. Le fait que Lâm gratte avec une cuillère les grumeaux accumulés entre mes doigts, mes orteils, dans mes oreilles et ailleurs ne possédait en soi rien qui vaille un commentaire, un jugement, la pâleur d'un étonnement. Je n'étais plus rien. Ou à peine un minuscule moi, caché dans des plis de chair, étouffé, trou par où passait de justesse le fil de mon existence, débarrassé des idées qu'on se fait sur soi, les autres, le monde. Je n'avais jamais eu ce coup d'œil radical sur moi-même : un regard de trop et je me noyais dans l'air. J'avais éteint tous les feux du désir, de l'envie, de ce que la vie nous fait faire pour nous faire trouver la mort plus vite. Je n'avais plus rien à perdre, plus rien à gagner.

Je passai trois semaines collé à mes draps, fusionné à mon matelas. Un matin, je sentis que je pouvais le faire : je me levai, je m'approchai du miroir de la salle de bains. Lâm m'avait apporté auparavant un petit miroir pour me faire découvrir, par touches, les aspérités nouvelles de mon épiderme. Comment Lâm avait-il pu me toucher, me caresser, me parler, comment avait-il pu délaisser la beauté radieuse d'Anna pour venir s'occuper de ça ? Lui, la vedette de l'heure, héros à la peau couleur de miel, que faisait-il ici avec moi ? Je voulus appeler Xénophon. Je n'avais pas d'autre ami que lui. Je n'aurais qu'à lui raconter le dixième de ce que je vivais et ça serait suffisant pour qu'il accoure, me cogne la tête contre le mur de la cuisine, me réveille de mon cauchemar, me confirme que nous sommes mardi. Quelqu'un devait venir à mon secours. Je composai son numéro de téléphone. Un message enregistré disait qu'il n'y avait plus d'abonné à ce numéro. Où était-il ? J'aurais dû lui faire signe dès mon retour du Mexique. Je ne lui avais même pas envoyé de carte postale pour lui prouver que j'étais un artiste en arts visuels sérieux, reconnu et voyageur. L'impossibilité de parler avec Xénophon, dont j'avais oublié l'existence depuis des mois, devint une question de vie ou de mort. J'étais ravagé : « Je ne peux pas parler à Xénophon ! » Je hurlais cette phrase dans le téléphone. J'avais l'impression qu'on venait de m'élire orphelin de l'univers. Je n'étais plus qu'un monstre solitaire parce que au bout d'un numéro de téléphone sonnaient le vide, le creux, l'inconnu. Je mangeai des céréales avec du lait et des bananes. Lâm avait acheté des bananes. Je mangeai toute la boîte. Puis le poids de la terre bascula.

Anna écho, Anna vague, Anna dose, Anna zoo, Anna bourrasque, Anna peau, Anna embargo, Anna catastrophe, Anna, je te hais!

C'était arrivé comme ça, comme un renvoi de céréales bourrées de vitamines. Qui es-tu, Anna? Je ne m'étais jamais posé la question. Depuis toujours, Anna était née d'une étoile, était descendue sur terre avec des petits pieds roses qui lui permettaient de flotter au lieu de marcher. Elle ne possédait pas, à l'intérieur de son corps, d'organes gluants et puants. Non! Deux magnifiques magnolias lui servaient de poumons. Une rose pompait son sang. Un bassin, piqué de joncs, accueillait sa nourriture et la digérait dans un glouglou de bulles heureuses. Un pin, svelte, toujours vert, la maintenait droite mais souple. Quant à son sexe, mon imagination déclarait forfait. Le sexe d'Anna était l'origine du monde, de l'œil, du ciel, du chas de l'aiguille qui permet, une fois traversé, d'accéder à la clarté. Je lui accordais toutes les vertus, tous les pouvoirs. Oui, Anna, qui es-tu? Sans le lexique que je t'ai consacré, comment pourrais-je parler de toi? Je te hais à présent. Te haïr me donne d'autres mots. Au fond, Anna, tu es une île, petit tas d'égoïsme mouillé par un océan d'indifférence à mon égard. Quand nous vivions ensemble, il n'y avait que toi qui vivais. Si, au moins, tu avais daigné t'en apercevoir, jeter un regard attendrissant sur le petit chien que tu m'as obligé à devenir. Un petit chien? Mais non! Un chien suit son maître à la trace, déplace autour de sa queue des milliards de vibrations, emplit l'espace d'une joie bête mais vivante. Mais moi! Oui, Anna, qui es-tu pour me faire envier le sort d'un petit chien? Un être méchant, un leurre, une enfant pourrie, une vedette de télé. Je vomis sur toi! Anna tapis, Anna pub, Anna clou,

Anna jeans, Anna dent, Anna cage, Anna mur, Anna babiole, Anna beurre, Anna balai, oui, Anna balai qui tasses dans un coin les débris de mon amour pour ne pas les avoir dans ton chemin, je te hais comme je t'ai aimée!

J'avais une bombe dans la bouche. Un mot de plus, une Anna de plus, et elle explosait. Je serrai les lèvres. Que venais-je de faire? Salir Anna. Prétendre la détester. J'étais vraiment un monstre, en dedans comme en dehors. Je voulus me faire pardonner sur-le-champ. Appeler Anna? Elle ne répondrait jamais. De toute façon, elle tournait *Cul-de-sac II*. Me rendre là-bas? Comment pouvais-je me présenter devant Anna? J'étais devenu si hideux. Je m'agenouillai devant la télé. J'embrassai l'écran. Dans quinze minutes, *Cul-de-sac* serait diffusé en reprise. Depuis que j'avais pris la décision de ne pas regarder *Cul-de-sac* après en avoir vu les trois premiers épisodes, j'avais réussi à ne pas allumer la télévision. Je m'éloignais même du salon, craignant que la télé, s'allumant d'elle-même, me poursuive avec sa gueule dégoulinante d'images comme un bouledogue bavant sur les jambes de son maître. Mais je venais de profaner Anna, de vomir sur mon amour pour elle. Je devais expier. Je devais regarder, à genoux, Isabelle, le personnage d'Anna, déclarer son amour à un autre, qui n'était que Lâm déguisé en minorité visible, la regarder enlever son t-shirt, offrir ses seins et, pire encore, regarder son cœur qui battait derrière. C'était la moindre des choses que je pouvais faire après mon ignominie. Me comportant comme si Anna, derrière l'écran, allait me voir la regarder, j'allumai la télé.

Fébrile, j'attendis vingt heures, l'heure fatale. Le générique débuta. Je flanchai. Je zappai. C'était au-dessus de mes forces : je ne pouvais pas regarder *Cul-de-sac*. J'écrasai mon visage contre l'écran de la télé. Quand je m'en détachai, un peu de sang tachait un reportage d'intérêt public. Je crus que la télé, comme certaines statues, se mettait à suinter, à saigner pour me faire signe. Mais ça venait de mon nez. J'allai chercher un kleenex. J'essuyai mon nez. J'essuyai la télé. Je reconnus alors la voix de Xénophon. Il parlait à un journaliste qui lui plantait un micro sous la barbe. La dernière fois que j'avais vu Xénophon, il n'avait pas un poil. Quel changement ! Il s'était aussi laissé pousser les cheveux. Mais sa voix restait la même, nasillarde, traînante. Il disait au journaliste qu'il n'avait aucun mérite, qu'il trouvait, oui, comme tout le monde, que les temps étaient durs, particulièrement pour les jeunes, mais que les temps, par paresse et par définition, étaient toujours durs et que si, par malheur, ils se laissaient aller à devenir mous, ce serait la catastrophe, qu'il pouvait très bien la voir, cette catastrophe, il ne fallait pas être un génie de la prévision pour la sentir sur le pas de la porte, prête à sonner, à entrer, à envahir le quotidien des gens, à leur renverser sur la tête une casserole de soupe bouillante, à défigurer leur cuisine avec des graffiti obscènes, à déchirer avec des griffes invisibles leurs abat-jour du dimanche, mais que, oui, il faisait toujours soleil dans le cœur des purs, que son message tenait dans le creux de la main d'un enfant...

Qu'est-ce que Xénophon était en train de raconter ? La caméra plongea sur ses pieds : nus dans la pluie froide d'automne. Je remarquai ensuite qu'il portait une espèce de cape d'où émergeaient ses bras maigres, nus aussi. Xénophon souriait quand il ne parlait pas. Un sourire gratuit. Ça ne lui ressemblait pas.

Puis un montage suivit avec, en médaillon, le visage de Xénophon, les yeux fixant je ne sais trop quoi au loin. Le reportage résumait une journée dans la vie de Xénophon. On le voyait déambuler, toujours pieds nus, rue Sainte-Catherine, suivi de mendiants, de jeunes, de chiens même. Un prêtre témoignait: «Depuis qu'il est arrivé dans le quartier, il y a des gens à la messe.» Un conseiller municipal se défendait de pouvoir interdire sa conduite: «Il ne fait rien d'illégal. Nous verrons.» La voix off du journaliste insistait: «Ce jeune homme, qui se fait appeler Reviens-vers-moi, nous parle d'amour. Il ne demande rien en retour. Il vit dans la rue et trouve acceptable de se nourrir, dit-il sans ironie aucune, de tout ce que le cœur des gens généreux dépose dans leurs poubelles pour les enfants démunis de ce monde. Des témoins ont affirmé qu'ils avaient été guéris d'un simple toucher de sa part.» On vit alors une femme âgée, accompagnée d'un homme mûr, son fils peut-être, s'emparer des mains de Xénophon et se les planter sur la tête. La voix off continuait: «Reviens-vers-moi est-il un illuminé (des images de jeunes Hare Krishna, sautillant et chantant, accostant des gens dans la rue, apparurent) ou une voix véritable? À vous de décider.» Le petit médaillon s'agrandit subitement, envahit tout l'écran. Xénophon me regarda intensément: «Je suis ce que je suis, je suis Reviens-vers-moi.»

Une pub de shampooing me fit reprendre ma respiration. Mon ventre lança une longue plainte qui se termina dans un gargouillis. Je n'étais plus qu'un amalgame de laideurs, comme ces carrosseries comprimées et jetées dans les cimetières d'automobiles. J'allai me mettre en boule sous la table de la cuisine, seul endroit pour disparaître du monde. Retrouver Xénophon à la télé, quelques minutes après avoir voulu lui parler au téléphone, n'était qu'une de ces coïncidences que le monde, dans ses temps perdus, se plaît à produire, question de mettre en doute, avec humour, la régularité de son fonctionnement. Ou alors c'était un enchaînement d'événements qui, depuis le Mexique, agençait mes pas pour me conduire... me conduire où ? N'étais-je pas en train de penser une chose qui avait été mise en branle par d'autres pensées qui, elles, n'étaient pas nécessairement les miennes ? Est-ce une illusion de croire que l'homme débute avec sa naissance ? Quand nos yeux se ferment, peut-être ne font-ils que s'ouvrir sur un autre monde, plus ancien. Depuis que je m'étais enfui du cimetière d'Isla Mujeres, échappant aux paroles et aux gestes sordides d'Andy, je m'étais efforcé d'écraser sous une plaque de béton tout ce qui m'était arrivé là-bas. J'étais allé jusqu'à m'offrir des félicitations sincères parce que l'annonce de la mort de Rita, sur le coup comme plusieurs jours plus tard, n'avait pas produit en moi l'ombre d'une émotion : ni larme, ni pensée nostalgique, ni regret. Mais, soudainement, pelotonné sur moi-même, une intuition me traversait : ne suis-je pas en train de vivre le deuil de Rita ? Cette maladie qui m'a métamorphosé en monstre, n'est-ce pas ma façon à moi de pleurer un mort ? N'étais-je pas, après tout, en train de ressembler de plus en plus à un cadavre ?

J'enfilai un manteau dont je relevai le col et partis dans les rues à la recherche de Xénophon. J'appréciais le vent qui me fouettait et remettait de l'ordre dans mes idées. Mais oui ! Mais oui, me disais-je, tout s'enchaîne, après un pas, un autre, après un battement, un autre, et ainsi de suite, sans le premier, pas le second, sans le second, pas le suivant. Dans les rues de Montréal, ce

189

soir-là, je marchais avec l'allure d'un homme pressé, je traversais les sommets de la pensée humaine, je dépassais le sens commun, j'allais de l'autre côté des choses vues et entendues, je retraçais l'histoire de l'humanité, j'acceptais d'en faire partie, d'ajouter mon petit bout à cette interminable marche des êtres et des choses, des morts et des vivants, des objets et des idées. Je croyais ressentir, dans le mouvement de mes jambes qui me propulsaient en avant, le sens de la vie, la secousse du train de viande et de fleurs qu'elle charrie. Mais oui, Xénophon, bien sûr, Xénophon, et tous ceux et toutes celles qui, en cet instant, respirent, foulent la terre, le ciel, la mer, l'air de leurs mains, de leurs yeux, de leurs pieds, toi, eux, moi, nous tous, nous nous agitons dans la même, énorme, grotesque seconde, goutte de temps aussitôt diluée dans une autre, incommensurable, têtue, gorgée de mystère et de clarté parce que tout se tient dans le pain du monde, comme les jambes de l'erreur et de la vérité qui dansent ensemble depuis l'origine de la création. Mais oui, Xénophon, mon petit Xénophon, tout se tient, nous étions inséparables, tu m'as présenté un jour Anna, elle jouait dans le spectacle de fin d'année de la petite école secondaire où nous allions, tu m'avais demandé de prendre des photos, pas des acteurs, mais du décor que tu avais fait, mais je n'avais pris que des photos d'elle, d'Anna, qui jouait Nina, la pauvre Mouette de Tchekhov qui étirait lamentablement sa vie en jouant des rôles ingrats dans des théâtres sordides, comme Anna m'avait fait pleurer ce soir-là, comme j'avais été ému quand Treplev, fou de Nina, fou d'Anna, s'était suicidé, une balle dans la tête, c'est à ce moment précis que mon amour, architecte douloureux et bâtisseur sans limites, avait posé la première pierre de la cathédrale

Anna, c'est à ce moment précis où Treplev mourait que mon amour pour Anna naissait, fulgurant et impitoyable, tout ça bien sûr je l'ai su plus tard, quelques jours plus tard, quand j'ai développé les photos du spectacle, c'est seulement en revoyant le visage d'Anna, fixe, dans le silence de la chambre noire que l'école mettait à la disposition des élèves, que l'amour s'était révélé totalement, irrémédiablement, à jamais incrusté dans mes prunelles, assister à l'apparition d'Anna sur le blanc pur du papier photographique a été et restera la plus grande joie de ma vie, l'émotion qui aura secoué mon cœur jusqu'à le décrocher de ses battements, oui, Xénophon, tout se tient, même le décor saugrenu que tu avais signé pour *La Mouette* et qui signa, une fois pour toutes, tes prétentions de scénographe, car personne, sauf moi évidemment, n'avait compris ton idée de plonger l'action de la pièce dans un lieu hybride, non identifiable, légèrement repoussant, fait de matières recyclées, plastique, contreplaqué, posters, meubles déconstruits, pulvérisés même, qui juraient avec l'atmosphère fin de siècle d'une Russie bourgeoise, mais qui exprimaient si bien la déchéance intérieure des personnages et annonçaient, avec la force de la prophétie, la tournure de ma vie, oui, Xénophon, n'avais-tu pas déjà tout compris quand, avec une insouciance sans doute feinte, tu m'avais en vitesse, dans un corridor de l'école, présenté Anna en disant: «C'est Anna, elle joue Nina dans la pièce, viens la voir», oui, Xénophon, j'irai la voir, elle, et ce soir-là, en marchant dans les rues de Montréal à la recherche de Xénophon, je me rappelais les détails de cette époque de ma vie avec une vivacité cruelle et chaque souvenir s'enroulait autour d'un autre au point de l'étouffer, puis de le faire émerger avec encore plus de force, créant une spirale qui m'emportait dans une tourmente de mots, et c'est dans cette excitation que je trouvai Xénophon, assis droit comme un i, sur un banc du carré Saint-Louis, avec le sourire béat du reportage, à croire qu'il n'avait pas bougé depuis que j'avais éteint la télé.

Je me plantai devant lui et lui montrai mon visage gangrené comme si, en m'exhibant ainsi, je me passais du besoin de paroles, que tout serait dit au premier coup d'œil. Je m'attendais à une salve de questions ou à une effusion qui pouvait ressembler à des retrouvailles. Mais Xénophon se contenta d'articuler mollement ces mots : «Tiens, le Mangeur-de-bicyclette.» C'était tout ce que mon meilleur ami avait à dire devant une détérioration physique et morale aussi tonitruante que la mienne. Il fit apparaître, je ne sais trop d'où, un sandwich enveloppé de cellophane. Il prit un temps fou à enlever sa pellicule protectrice, comme s'il pelait un fruit fragile. Le sandwich de Xénophon était au thon et, sans doute, pas très frais. Il en détacha soigneusement un morceau et me l'offrit. Une épaisse mayonnaise dégoulinait du pain aplati. Xénophon se fourra tout ce qui restait du sandwich dans la bouche et, sans pratiquement mastiquer, avala le tout dans un bruit étrange qui me rendit triste sans aucune raison explicable. Il fit ensuite apparaître un mégot et l'alluma avec un Bic. Il me passa la main dans les cheveux. J'arrêtai à temps le petit mouvement de recul que ce geste d'affection – réservé généralement aux chiens et aux enfants en bas âge, ceux, de préférence, qui ne parlent pas encore – avait déclenché chez moi car je crus, faussement sans doute, que Xénophon essuyait sa main graisseuse sur moi. Il me fit signe de m'asseoir à ses côtés. J'étais, depuis mon arrivée, accroupi devant lui. Ce n'est qu'une fois assis que je m'aperçus qu'un groupe d'adeptes ou de disciples, ou simplement de curieux désœuvrés ou au chômage, nous observait, baignant dans la lueur mauve du lampadaire voisin : beaucoup de jeunes filles, deux ou trois garçons, un couple âgé avec un petit et un gros chien, les deux ridiculement frisés. Je reconnaissais, parmi eux, quelques personnes que je venais de voir dans le reportage.

— Tout à l'heure, il tombait une pluie si fine, si fine, un vrai bonheur. Je vois, Christophe, que tu souffres. C'est bien. Il faut souffrir. La souffrance est le chemin le plus rassurant à notre époque. Tout le monde n'a pas ta chance. Je pars demain. À toi je peux le dire. Mais ne le dis à personne. Oublie aussi mon ancien nom, mon ancienne personnalité. Ce ne sont plus que des déchets. Tel que tu me vois, je suis un nouveau-né. On m'attend. On attend toujours un nouveau-né. J'aurais voulu prendre plus de temps pour grandir, jouir de mes dents de lait. Je dois les arracher moi-même. Tout va si vite. Bien sûr, j'ai le choix. Nous avons tous le choix. La lâcheté, la bêtise, l'aveuglement, l'indifférence, l'égoïsme surtout, nous attendent au pied de notre berceau. Nous n'avons qu'à tendre la main et à prendre. Le monde offre tant de jouets plongés dans le venin, le vomi, le sperme, les larmes...

— Xénophon, je voudrais...

— Apprendre à parler, apprendre à mentir, pareil. Apprendre à faire de l'argent, voilà la première leçon jugée essentielle par l'humanité bien-pensante. Tous les autres apprentissages lui sont subordonnés...

— Xénophon, laisse-moi te...

— L'enfant pourrit dans ses vêtements de luxe, gorgé de sucre, les yeux obèses. Trop d'images l'empê- chent de voir la lumière. Il faut sauver les enfants des images. Il faut tuer les images, seul meurtre saint de notre époque. L'enfant a besoin de vide pour regarder la vérité de l'espace. L'espace est la mère véritable de l'enfant. Pas la mère qui l'enfante, mais celle qui l'amène à l'intelligence. Qui est intelligent de nos jours? Quelques-uns, je te l'accorde. Mais si peu. Cela donne le frisson...

— Xénophon, si tu savais ce que...

— L'homme, la femme, l'enfant accumulent. C'est tout ce qu'ils font. Ils accumulent pourquoi? Pour ne pas voir leur mort, pour ne pas entendre l'insecte suceur qui tourbillonne sans cesse autour d'eux. L'argent agit comme un acide qui corrode l'intelligence. Si chacun de nous, dix secondes par jour, produisait de l'intelligence, peut-être que l'espoir ne serait plus un conte de fées pour nostalgiques. Mais l'intelligence est la croix la plus douloureuse à porter de nos jours...

— Xénophon, je voudrais te dire...

— Oublie mon ancien nom.

— Quoi?

— Je ne suis plus Xénophon. Appelle-moi Reviens-vers-moi.

— Ça me paraît un peu étrange.

— Si je m'appelais encore Xénophon, tu ne serais pas venu me voir.

— Reviens-vers-moi...

— Oui, c'est ça, appelle-moi Reviens-vers-moi.

— Reviens-vers-moi, je voudrais te parler de tant de choses. D'abord, je voudrais t'expliquer...

— Non non.

— Non non quoi?

— Tu n'as pas besoin de m'expliquer. D'ailleurs, je t'attendais.

— Tu savais que j'allais venir te voir?

— Ne me prête pas, toi aussi, des pouvoirs idiots. Je ne fais pas de miracles, je ne prévois pas l'avenir. J'essaie de voir clair, c'est tout. N'est-ce pas normal que ton ami te connaisse, devine la raison de ta visite?

— Mais, Xénophon, on ne s'est pas vus depuis des mois et il s'est passé des choses incroyables. Si tu savais tout...

— Celui que tu appelles Xénophon est mort.

— Excuse-moi, Reviens-vers-moi. Je n'arrive pas à...

— Christophe, je pars demain. Tu viens me dire adieu, c'est normal.

— Je ne suis pas venu pour te...

— Tu te souviens comme je pouvais me taire pendant des jours? J'ai enfin compris pourquoi. Parce que je n'avais rien à dire.

— Tout à l'heure, quand je t'ai reconnu à la télé...

— Mais maintenant j'ai quelque chose à dire. Je n'ai pas le droit de laisser dormir ma bouche quand le jardin de la Terre se transforme en un entrepôt d'images. Imagine, Christophe, la pénétration douloureuse d'une épée de feu. Sa lame affilée te perce sans arrière-pensée. Elle ne pourrait pas se comporter autrement. Une épée de feu ne connaît qu'une direction. Écoute-moi: je faisais la vaisselle quand une épée de feu m'a pénétré. Sa pointe brûlante m'a jeté sur le plancher. J'ai hurlé. J'ai pris peur. J'entendais le métal cruel me posséder. Je me suis enfermé dans le placard de ma cuisine avec les balais, le sac à ordures, les torchons. Comme j'étais ignorant, Christophe. Comme j'étais jeune et vieux, mais plus vieux que jeune parce que profondément assis dans ma turpitude, ma nonchalance maladive, mes hésitations fatiguées, profondément endormi dans ma personne flasque, passive, profondément mort avec ma bouche ouverte, mais vide et cruelle comme un remords. Quand l'épée de feu a terminé son long trajet, quand elle m'a remis mon souffle, il ne faisait plus noir dans le placard. Je réfléchissais, Christophe. Je contemplais ma vie, cette plainte terne qui se prenait pour un chant. Une petite lumière, l'œil d'une lampe de poche, voilà la trace de l'épée de feu sur mon cœur. Un trou de lumière par où s'écoulent en permanence mes idées noires, mes chagrins inutiles et, surtout, mes peurs. Et tant que cette merde peut s'échapper de mon âme, j'ai de l'espace pour faire entrer la vie, la vraie, avec ses rayons aigus. Je suis un guerrier de lumière. Je pars demain combattre les images qui violent les enfants, hypnotisent les vieillards, désorientent les adultes. Je suis heureux, cher Mangeur-de-bicyclette, que tu sois venu. Je suis heureux de toucher ta souffrance. Quel beau cadeau d'adieu.

— Justement, je voulais te dire que je suis allé au Mexique et que j'ai été attaqué par une méduse. Les médecins sont incapables de me confirmer... non, écoute, je ne sais trop comment te le dire, mais je suis en train de me...

— Tu ne manges pas le sandwich?

— Je n'ai pas faim.

Xénophon ramassa le morceau de sandwich que j'avais déposé discrètement par terre et que le plus petit des deux chiens frisés était venu renifler avant de l'abandonner. Xénophon l'engloutit avec le bruit étrange de tout à l'heure, une sorte de gloup qui, mystérieusement, m'enleva toute possibilité de croire au bonheur sur terre.

— Christophe, j'ai fait un rêve. Je marchais avec des bottes immenses. J'enjambais les villes, les autoroutes. Je buvais la pluie d'un orage, je mangeais les feuillages entiers d'une forêt. Je descendais vers le Sud. Des essaims d'oiseaux, de papillons, d'insectes m'entouraient. Un jour, j'aperçus l'or de la mer à l'horizon. J'avais atteint mon but. J'enlevai mes bottes. Aussitôt un taureau bleu, gigantesque, apparut devant moi. Il dansait sur deux pattes, les deux autres tenant un micro. Il chantait, se dandinait, bavait. J'étais écœuré. Ses cornes, hautes comme des gratte-ciel, tournaient sur elles-mêmes, changeaient de couleur, annonçaient des marques de voitures, projetaient les visages déformés de Humphrey Bogart, d'Alfred Hitchcock, de Daffy Duck. Le taureau s'était mis à parler. Il avait une voix chaude. Il disait : « Merci, merci, merci d'être venus si nombreux. » Il s'est tourné et, dans un grand bruit, a déféqué. Un tonnerre d'applaudissements m'a réveillé. Bon, je dois te quitter. J'ai cinq cents personnes qui m'attendent ce soir dans un centre communautaire. Ma soirée d'adieu. Sauf que personne ne le saura. Christophe, adieu. Ne dis rien.

— Dire quoi ?

— Que je pars. Personne ne doit le savoir.

— Pourquoi ?

— On me retiendrait, tu ne penses pas ? Je pars avant l'aube. Je ne dors pas ce soir.

— Mais où vas-tu ?

Xénophon me chuchota un mot près de l'oreille : « Hollywood. » Puis il fit quelques pas en direction des gens qui nous observaient depuis le début. Sans raison apparente, il s'immobilisa. Il se mit à pleuvoir. Xénophon leva les bras au ciel, revint vers moi.

— La pluie, un vrai bonheur. Laisse-la tomber, Christophe, laisse-la tomber sur toi. Je vais t'oublier, oublie-moi, mais n'oublie pas la pluie et son bonheur simple. Hier, j'ai appelé ma mère. Elle m'a traité de fou. Elle m'a insulté. Elle m'a crié d'aller me faire soigner. Elle croit que la foudre est tombée sur moi, m'a détraqué le cerveau. Je lui ai dit: «Maman, je suis un nouveau-né. Comprends-moi bien. Fais un effort. Il n'y a pas que les mères qui mettent au monde. Il y a aussi la lumière éternelle. Je connais à présent le chemin que je dois prendre. Il était tracé depuis des millénaires. Il attendait mes pas. Demain je les déposerai un à un, je ne les compterai pas, peu importe le nombre qu'il faudra. L'enfer est sur terre, je dois m'y rendre. Le mal ne tombe pas du ciel. Il est fabriqué sur terre. Il est pensé, planifié, manufacturé, produit en série, diffusé, annoncé sur tous les toits du monde. Sa laideur est habillée de vêtements chic. Sa puanteur est camouflée par des parfums au prix exorbitant. Sa voix grinçante est doublée par des vedettes payées des millions de dollars pour jeter dans le monde des paroles hideuses, violentes, infectées. Tout ce qui est pourri, difforme, assassin, mange-merde, ah oui, mange-merde et mange-sexe et mange-argent, toutes ces gueules-poubelles qui dévorent, se contaminent en forniquant, tout cela est de nos jours applaudi, envié, porté aux nues. Il faut détruire la Machine à images, la Bête aux cent mille visages.» Ma mère n'a pas voulu m'écouter. Elle a raccroché. Elle n'a pas entendu l'essentiel.

— L'essentiel?

— Je voulais dire à ma mère que je l'aime. Je sais bien ce qu'elle pense de moi. Il y a tant d'hallucinés dans les grandes villes de ce monde qui promènent leur âme d'enfant perdu, les vêtements sales, les yeux morts. Je ne suis pas ce genre de fantôme. La lumière qui m'éclaire n'est pas faite d'illusions. Ma mère croit que je me drogue, tout ça parce qu'elle m'a déjà surpris avec un peu de haschich quand j'avais seize ans. Elle vit, depuis, avec la fausse impression que son fils est une loque. Je l'étais sans doute. Comme tous les enfants qui poussent. Plus maintenant. Je suis heureux, Christophe. Je vois clair. Je suis clair. J'étends mes mains sur toi, je sens la fébrilité de tes ailes, nouées par le doute, paralysées par la faiblesse de ton cœur. Regarde-moi. Qui vois-tu? Un fou? C'est ce que tu penses. Tu es comme ma mère.

— Non!

— Baisse la tête.

— Quoi?

— Baisse la tête. Obéis-moi. Que vois-tu?

— Tes pieds. Nus sur la terre froide.

— Touche-les.

J'obéis à Xénophon. Il avait raison. Je le croyais fou. Et je n'avais pas envie de le contredire.

— Allez! Touche-les.

Je jetai un coup d'œil autour de moi. Le groupe du banc voisin nous observait. J'avais l'impression qu'ils guettaient, immobiles, l'apparition d'un miracle. Je touchai les pieds de Xénophon. Rien. Je les touchai encore. Au fond, j'attendais moi aussi que la terre s'entrouvre ou que des pétales de roses tombent du ciel. J'avais tant besoin d'un miracle, n'importe lequel. Dans l'état où j'étais, je me serais jeté sur le plus inutile, le plus répugnant des miracles. Même sur le plus invisible des miracles, à condition qu'il déplace d'un millimètre le poids de mon existence.

— Tu ne remarques rien?

— Non.

Xénophon leva alors légèrement un pied. Je l'avais pratiquement sous le nez. Je remarquai une tache sombre sur son petit orteil. Puis, en regardant mieux, je m'aperçus que Xénophon n'avait plus de petit orteil, qu'à la place il y avait une plaie infectée. Instinctivement, j'examinai l'autre pied. Même petite plaie infectée au même endroit.

— Qu'est-ce qui s'est passé?

— Je les ai tranchés. J'en trancherai d'autres. Demain, avant l'aube, je partirai comme un guerrier de lumière. Chacun de mes pas sera une offrande de douleur au chemin qui me conduira à mon destin.

— Tu parles comme le Christ!

— Nous parlerons tous comme Lui un jour.

— Mais tu étais athée avant!

— Avant quoi? Avant rien, tu veux dire. Christophe, le Diable existe. Mais l'amour aussi. Le plus déplorable des amours, le plus banal des amours, le plus muet des amours, le plus triste et chétif des amours est toujours plus lumineux que le désir porté à la Bête. Je vais te dire pourquoi. Parce que la beauté de la Bête, la plus grande splendeur de toute la Création, est une beauté volée, œil par œil, au visage des hommes. Quand le Mal ressemblait au Mal sur la terre, la lumière pouvait faire son travail honnêtement. Mais le Mal s'habille, mange, parle, marche comme le Bien et fait encore mieux que Lui. Notre époque est celle de la confusion, de la comédie. Il n'y a plus d'innocence, que des cœurs avides, des yeux cloués que la compassion ou même la pitié n'arrive plus à arracher à leur aveuglement. Embrasse mes plaies, Mangeur-de-bicyclette!

— Tu es fou.

— Embrasse-les !

Xénophon me présenta cette fois-ci ses deux pieds. J'avais l'impression que si je ne lui obéissais pas, je déclencherais un certain mécontentement chez le petit groupe de disciples qui nous observait. Je posai rapidement mes lèvres sur ses plaies, puis je me relevai.

— Reviens-vers-moi, je voudrais te parler de moi. Il se passe des choses étranges. Et puis je voudrais aussi te parler d'Anna !

— Tu es ridicule avec ton amour de théâtre. Ce n'est pas ça l'amour.

— Mais je l'aime !

— C'est ce que tu crois. Mensonge ! Confusion ! Illusion ! Regarde-toi, n'es-tu pas la Bête ? Tu pourris, Christophe. Ton âme n'est pas heureuse dans ton corps. Fais quelque chose pour elle !

— Mais quoi ?

— Chut !

Reviens-vers-moi avait placé son index près de ses lèvres. Puis il m'avait souri ou plutôt il avait replacé son sourire, le même qu'il avait quand je m'étais approché de lui : le sourire du reportage, fixe, sans mystère, implacable. Il me tourna le dos, partit, suivi du groupe qui épiait le moindre de ses gestes. Bientôt je les vis disparaître dans la pluie et la lumière des phares d'autos. Mes vêtements étaient trempés. Reviens-vers-moi était parti mais ses paroles n'avaient pas bougé d'un centimètre. J'entrai dans un restaurant, le plus minable que je pus trouver. Je m'assis au comptoir. Je demandai un café. La serveuse revint avec quelqu'un, le patron sans doute, un homme velu, obèse, qui sentait le parfum bon marché. Il me montra la porte de son doigt gras. Je fis : « Quoi ? »

— On n'accepte pas ici des gens comme toi.

— Comme moi ?

— On ne veut pas de problèmes.

— Quels problèmes ?

— La discussion est finie. Pars ou j'appelle la police.

Je voyais bien que, malgré sa corpulence, il n'osait pas me toucher. La serveuse, cachée dans un coin, me regardait avec un dégoût évident. J'étais vraiment devenu repoussant. Je ne méritais même pas un café. Je partis. Je me mis à piétiner, à hurler : *I'm singing in the rain !* Il m'aurait fallu avoir des milliers de pieds ensanglantés à embrasser. Je me serais même jeté sur des moignons. Je les aurais dévorés. Mais il était trop tard pour moi. « Mais oui, mais oui, me disais-je, emporté par une rage joyeuse, Reviens-vers-moi a raison, je pourris, je suis la Bête, mon destin s'accomplit sans moi, car qui suis-je, moi, *moi* n'est rien, *moi* est une bulle qui éclate à chaque fois que l'idée de son existence refait surface, *moi* n'a pas plus d'importance qu'un trou dans l'air, il suffit de ne pas croire au trou pour qu'il s'efface de lui-même et libère l'air du néant qui le pollue, mais oui, mais oui, me disais-je, comme ça soulage de souffrir dans l'acte même de découvrir son bonheur de n'être rien que son destin qui se fait sans lever le petit doigt ou à peine, car il faut bien faire l'essentiel, juste l'essentiel. » Je faisais peur aux quelques passants que je rencontrais, je leur criais : « Ne regardez pas la Bête, éloignez-vous ! » J'observais la buée qui s'échappait de ma bouche, elle était froide, elle était bleue, elle emportait mon regard avec elle. Le mystère de l'existence, et des satellites de bêtise et d'angoisse qui tournaient autour, rapetissait à chacun de mes pas. L'univers, même avec sa prétendue complexité, son insaisissable origine, perdait son obscurité, atteint d'une

hémorragie qui le privait peu à peu de son être. Ah!
ah! Mais oui: ah! ah! Voilà ce que je hurlais aux arbres
dénudés, aux pelouses jaunies, aux chats qui se cachaient
dans les poubelles, aux bornes-fontaines qui luisaient
dans leur coin, aux murs de briques transfigurés de graffiti, aux vitrines qui rêvaient à leur prochain client, au
ciel éventré qui se soulageait sur une ville élue parmi des
milliers car elle abritait la Bête qui lançait son ah! ah! à
la nuit d'octobre la plus claire de tous les temps!

13

NAISSANCE D'UN MONSTRE SEXUEL

Cette nuit-là, je rentrai chez moi convaincu que j'étais le dépositaire d'une vie qui avait déjà été vécue mille fois auparavant afin que, moi, je puisse la vivre, nettoyée de toute impureté, afin que moi, coque vide de moi, à peine né, n'agitant de vivant que le minimum requis, je puisse la mener à son terme. Tout ce qui m'arrivait arrivait de loin. Rien n'était improvisé. J'avais cru que le hasard ou la nonchalance de mes décisions m'avait mené ici ou là, traversant le brouillard de la vie comme un aveugle, flottant à la surface des jours que mes réveils salissaient de leurs gémissements. Ah! ah! Et encore ah! ah! Pourquoi accuser une pauvre méduse mexicaine de mes malheurs? Ce qui me sort par la peau, les trous de nez, le cuir de mon crâne n'a rien à voir avec une maladie tropicale classée inconnue. Tout habillé dans mon lit, je prenais conscience du changement radical du fonctionnement de mon cerveau. J'entendais le bruit métallique de ses raisonnements, le clac définitif de ses équations. Tout concordait. Les roues dentelées de mes questions me déchiquetaient. Mon corps se réorganisait en fonction de coordonnées qui ne laissaient aucune place au doute (des paramètres nouveaux! me disais-je en triomphant). J'accouchais: ah! ah! Mais oui: ah! ah!

Ah ! ah !

Comme cet ah ! ah ! était froid ! Cet ah ! ah ! avalait Anna. Cet ah ! ah ! éclaboussait de neige ma chambre noire, pas celle où je m'enfermais comme un double aveugle pour me donner l'illusion de créer des Anna avec du blanc volé au noir, mais celle de mon cœur où j'avais laissé s'affaiblir le rouge donné par la vie. Je n'avais qu'à fermer les yeux et tout se laissait voir avec la vitesse de la vérité. Mais oui, me disais-je dans le silence de ma voix nue, fallait-il être aveugle pour ne pas avoir vu ça : j'étais en train de me métamorphoser en Rita ! Elle ne pourrissait plus dans le sable du cimetière d'Isla Mujeres, elle se décomposait ici, dans ma chair, délogeant mes cellules de leur léthargie, les amenant à en produire d'autres, rugueuses, affamées, émergeant à l'air libre sous forme de poils, de cloques, de regards rouges, de souffles lourds, d'ongles noirs. La Bête, ce n'était plus elle, c'était moi ! Et dans peu de temps, il ne serait plus seulement question d'un gentil paquet de croûtes inoffensives, d'un tas irrégulier de traits et de boursouflures, d'un banal enlaidissement et simple déguisement de ma chair. Non ! L'image que me renvoyait le miroir annonçait la venue imminente d'un monstre sexuel !

Il aurait fallu embrasser pendant des semaines des centaines de pieds amputés de leurs orteils pour empêcher l'inéluctable de se produire. J'allais commettre des crimes pour assouvir mes instincts. Mes yeux s'ouvraient enfin. Non ! Ils se fendaient plutôt. Le cul. Rien que le cul. Rita l'avait dit. C'était à mon tour de le crier : le cul ! Il n'y avait rien d'autre à l'horizon des actes. Le cul. Pas ce cul de tous les jours, qu'on nous montre au cinéma, qu'on nous vend sur les panneaux-réclames.

Pas ce genre de cul mesquin, servile, essoré, qui passe si bien à la télévision. Mais un cul démesuré, sans attache, sans visage, sans masque. Un cul qui englobe les ténèbres et la lumière, la divinité et la servilité. Un cul de matière, sans adhérence spirituelle, sans prétention cosmique, sans histoire à raconter, sans passé glorieux à déchiffrer. Un cul de cri, un cul de hurlement, un cul d'envol. Un cul qui ne reconnaît rien, qui trahit tout, qui n'aime que le cul, rien que le cul et rien d'autre. Parce que le cul n'a rien à dire, rien à promettre, rien à signer. Parce que le cul qui séduit ne danse pas, ne se trémousse pas, ne se déhanche pas, mais guette, darde, sans lèvre, sans œil.

Fini le régime aux céréales, je ne mangerais à présent que du cul: froid, chaud, rose, rougi, n'importe quel cul qui me tomberait dessus. Mon appétit n'avait pas la prétention de posséder l'arsenal subtil du goût. Rien que dans l'immeuble où j'habitais, combien de culs pouvais-je me faire? Ce soir même, en défonçant la porte de mes voisins avec une hache, ou à coups de pied (je n'avais pas de hache), je pourrais déjà violer deux personnes. Elles ne pourraient pas me résister. Après, je monterais à l'étage suivant: un autre couple, plus âgé, avec un chien. Puis je descendrais. J'irais dans la rue. Je me sentais obèse, puissant, dégageant une odeur forte, une odeur planétaire, oui, une odeur qui enveloppait la raison et la ratatinait aux dimensions d'une pistache, ah! ah! mais oui: ah! ah! j'écraserais les pistaches éberluées de mon immeuble, de mon quartier, j'irais les embrocher, les déculotter, faire sauter leur soutien-gorge comme une rangée de dents pourries, mais oui, du tango, du tango, tous veulent danser un tango bovin, tous meurent d'envie qu'on leur arrache le cœur pour se débarrasser une fois pour toutes de l'amour, ah, le mot drôle que voilà: amour, si on riait un peu, mais, au fond, dans le très beau fond que la vie réserve à chacun de nous, l'amour, hein, constitue la plus grande supercherie sortie de la cervelle humaine, on a dû transplanter une gueule de mouton aux chanteurs qui bêlent à la radio ces chansons morveuses où amour rime avec toujours. Mais pourquoi l'intelligence fond-elle comme du beurre au soleil dès que l'amour se pointe avec ses menthes contre la mauvaise haleine, ses savonnettes au romarin? Les chansons d'amour distillent de l'héroïne coupée de merde, bouchent les artères de graisse triste, de chocolat vulgaire, chaque chanson d'amour produit mille arrêts cardiaques, et les gens, dopés, en redemandent, et les moutons rebêlent et leur pissent dessus, et les gens crèvent la bouche consentante, ah oui, l'amour, ce cloaque qui ne se ferme jamais, pire qu'un cul, il faut que les gouvernements du monde entier organisent un Sommet contre l'amour, il y a urgence, il y a aveuglement généralisé, il y a contagion, n'y a-t-il que moi pour voir la catastrophe, entendre l'amour piétiner l'avenir?

L'amour m'avait détruit. L'amour qu'avait gardé dans son cœur Rita pour Alfred l'avait rendue malade et tuée. L'amour que Lâm me portait allait le mener à sa perte. Que croyait-il, le naïf? Qu'il allait béatement vivre une histoire de couple avec une bête puante? Que son amour insensé, plus monstrueux que le monstre que j'étais, allait un jour être raconté aux enfants, en tranches télévisées de trente minutes, pour leur donner l'exemple que rien n'est plus édifiant, plus hygiénique que l'amour. Pouah! Pouah! L'amour arrachait les yeux, les entassait dans de gigantesques jarres bourrées de sucre. Voilà où cette belle aventure du cœur se terminait : dans le noir et dans le sirop épais de la bêtise.

Pelotonné sous mes couvertures, je voyageais. J'avais l'impression qu'un groin me poussait. Je creusais un tunnel dans mon matelas. Je m'enfonçais, traversant des strates de matières inconnues aux odeurs fraîches, fortes. Le désir m'allongea. Je me vis avec Anna dans la petite tente bleue à Percé. Puis sur la grève avec ma bicyclette. Je creusais encore. J'aperçus le jaguar empaillé de Marlin Azul qui ouvrait sa gueule d'où sortait une nuée de papillons jaunes. Je lui lançai un hamburger. Il le dévora d'une bouchée. Les papillons saignaient. Je creusais encore. Mon matelas se transforma en une mer de sable. J'aperçus au fond des aiguilles de lumière. Je devinai ce qui m'attendait si je passais de l'autre côté. Une odeur de bière et d'urine m'avait alerté. Je fonçai quand même. Ma tête émergea dans le cimetière d'Isla Mujeres, entre les jambes d'Andy. J'agrippai son boxer jaune. J'écartai ses jambes, j'empoignai son sexe. C'était mou. Je tirai, je tirai, je réussis à l'arracher. Un sexe de femme apparut, une petite fente, je mis un doigt à l'intérieur. C'était brûlant. Je voulus mettre un autre doigt, toute la main, mais la petite fente se contracta. Elle me parlait. Je ne comprenais rien. Je retirai mon doigt. La petite fente devint rouge, un vrai sourire. Je levai la tête pour apercevoir Andy. Il buvait une Corona en fumant. Je retournai à la petite fente, je l'embrassai. Elle me disait : « Salut, Huachi. Tu es très gentil. Tu mérites un bonbon. Tiens, prends ça ! » Une lune de miel apparut entre ses lèvres. Je la fourrai dans ma bouche. Je suçai le chocolat, avalai le caramel. La petite fente parla encore : « T'as raison, Huachi, l'amour, c'est du poison. Y a que le sexe qui tienne le coup. T'es sur la bonne voie.

Approche ton visage, je veux le voir. » Je me collai contre les cuisses d'Andy. La petite fente s'ouvrit et je sentis son regard sur moi. Comme si c'était un souffle. « C'est vrai que t'es laid. Ça donne le frisson. C'est bon. Ça se prend bien. Tu mues. Tu vas bientôt perdre ta peau. Qui sait ce qui va apparaître derrière ? Allez, montre-moi ce que tu sais faire ! » Je me relevai. Je demandai à Andy s'il avait une objection. « Une quoi ? » Je répétai : « Une objection. » Andy n'avait pas l'air de comprendre. Je le giflai. Il ne réagit pas. Puis il s'endormit debout. Je me déshabillai. Je couchai Andy sur le sable. Je relevai ses genoux. La petite fente souriait toujours. « Allez, arrive ! » Je l'embrassai encore. Puis je me dis : « Ça y est, c'est le moment. »

J'entendis alors la porte d'entrée s'ouvrir. Lâm rentrait de son tournage. Je rejetai ma couette. Je regardai l'heure sur le réveille-matin. Il était beaucoup plus tard que je croyais. Le temps avait filé, moi aussi. Mais dans une nuit sans retour. Lâm devait s'enfuir sur-le-champ. Sinon l'irrémédiable se produirait. J'en étais convaincu : dans quelques secondes, j'allais me jeter sur lui, lui aspirer les yeux et les gober tout rond. N'était-ce pas ce que faisaient les monstres sexuels ?

Je perçus un bruit d'eau : Lâm se faisait couler un bain. J'allai dans la cuisine : et si je prenais un couteau ? Les monstres sexuels ont souvent des couteaux pour découper leurs victimes. Il me faut un couteau. Pour me donner du courage, je regardai le reflet déformé de mon visage sur la bouilloire électrique. Un visage pareil méritait un couteau. Il me rappelait un quai délabré dont les planches pourries pendouillent dans l'eau. Rien n'est moins sûr qu'un quai délabré. On y met le pied, et plouf ! Je m'emparai donc d'un couteau à steak. Je vis sur la table de la cuisine une petite boîte de carton. Il y avait une feuille de papier sur le dessus. C'était une lettre :

Christophe,

Je n'ai pas voulu te réveiller. Je pars demain très tôt pour plusieurs jours. Nous allons terminer le tournage de la série à l'extérieur de Montréal. Je te raconterai tout à mon retour. Je t'aime. Ne t'en fais pas, tout va s'arranger. Je t'ai rapporté de la nourriture. Ça vient du plateau de tournage. Il y en avait pour une armée.

Lâm.

J'ouvris la boîte. Il y avait une cuisse de poulet. Et un éclair au chocolat. De ma vie je n'avais vu une cuisse de poulet aussi triste. Comme si elle constituait, avec sa chair de poule légèrement retournée, avec son aspect adipeux et la raideur constipée de sa forme, un morceau d'humanité oublié du monde, ramassé dans l'attente crispée d'être dévoré : petit tas de viande sans défense avec, près de lui, un minuscule contenant de mayonnaise. Comme la vie est tragique ! Comme parfois elle sait arracher au mur de sa grisaille un fragment qui la représente dans sa vérité la plus tonitruante ! Lâm n'était-il pas aussi une cuisse de poulet que je m'apprêtais à grignoter ? Bien sûr que oui. Désormais, il n'y avait plus de chair, que de la viande. Mais comment un monstre sexuel sans expérience comme moi allait-il s'y prendre ? J'avalai l'éclair au chocolat. J'avais de la crème sur le visage et les mains. Je m'essuyai avec un torchon. Je repris le couteau à steak et me dirigeai vers la porte de la salle de bains à pas de loup. Et c'était tout à fait juste : j'étais loup, vierge, démantelé, à jamais perdu sans le manche du couteau qui me guidait. J'avais l'impression de renifler Lâm, l'odeur ambrée de son corps, à travers la porte. Je collai mon oreille contre elle, j'entendis un léger clapotis, puis plus rien.

Bon, réfléchis, Christophe : tu vas ouvrir la porte, et puis... puis quoi ? Que vas-tu faire ? Je m'aperçus qu'être un monstre sexuel n'était pas chose facile. Il devait exister une façon de procéder qui donnait à l'acte dément toute sa force et toute son authenticité. Anna gifle, aide-moi ! Toi, tu saurais t'y prendre. Tu n'aurais aucune hésitation. Tu connais le mode d'emploi de la souffrance et de la jouissance. Que doit-on faire en premier ? Tuer ? Aimer ? Ou aimer, tuer ? Tuer ? Mais pourquoi tuer ? Je peux faire souffrir sans tuer. Non : impossible. Un monstre sexuel ne connaît pas de demi-mesure. Je suis en train de commettre une grave erreur : réfléchir. Un monstre sexuel ne réfléchit pas. Fonce ! Oui, c'est clair, j'ouvre la porte et j'y vais. Le couteau. Voilà. Tout est dit : le couteau. Il sait, lui. Ouvre. Agis.

J'entrouvris doucement la porte. Lâm dormait dans la baignoire. Il avait pratiquement disparu dans la mousse. Seuls sa tête et un de ses pieds émergeaient de ce manteau de bulles. Il y avait l'ébauche d'un sourire sur son visage, comme si son sourire dormait aussi. Je m'approchai. Puis je vis du sang sur le carrelage du plancher. Mon Dieu ! Lâm ne dort pas, il est mort, déjà ! L'idée absurde que je l'avais tué, dans un moment d'absence, me pétrifia. Je fus vite rassuré. Le sang venait de moi. De ma cuisse. Je m'étais donné plusieurs coups de couteau sans m'en apercevoir. Un geste qui m'avait échappé. De l'impatience sans doute. Ou un tic nerveux. Je m'agenouillai. Je contemplai le pied de Lâm. Il dormait aussi. Un fruit sombre. Chaud. Déposé sur l'émail courbe de la baignoire. Je l'effleurai de mes lèvres. Je le goûtai avec la pointe de ma langue. Lâm entrouvrit les paupières. Nos regards aussitôt brûlèrent ensemble. Je me relevai, pris la fuite. Je glissai à cause du sang. Je me relevai de nouveau, quittai l'appartement et disparus dans la nuit.

Quelle sorte de monstre étais-je? J'allai me cacher dans une arrière-cour. Je tremblais. J'essayais de reprendre mon souffle. J'avais encore le couteau à steak. Je le jetai à bout de bras. Il pleuvait. Je frissonnais. Ma cuisse saignait. La douleur, en retard, était venue me rattraper dans le froid, la vase. À l'aube, je pus enfin fermer les yeux. Quand je les rouvris, quatre petites filles me regardaient. Elles portaient des manteaux joyeux, des sacs d'école multicolores et des parapluies fleuris. Je bougeai ma jambe blessée, ankylosée. Aussitôt elles s'enfuirent, horrifiées, en lançant des cris aigus. Mes blessures ne saignaient plus. Je me dirigeai en boitant vers le carré Saint-Louis. Mes vêtements étaient mouillés. Je criais: «Attends-moi, Reviens-vers-moi, je pars avec toi! Sauve-moi! Sauve-moi!» Je fis plusieurs fois le tour du carré en criant. Aucune trace de Reviens-vers-moi. Je m'assis sur un banc. Je regardai les gens traverser le parc. Ils avaient l'air si ajustés à la vie. Ils avaient tous un but, des sacs, des yeux, des bottes, des montres, des rendez-vous. Je passai plusieurs heures assis, immobile comme un tas de pierres. Je me vidais sans me presser. Personne ne vint me déranger. Personne ne vint s'asseoir près de moi. Personne. Je n'appartenais plus à ce monde. Je retournai chez moi.

Sur la table de la cuisine, il y avait toujours la petite boîte de carton, mais avec une nouvelle feuille de papier sur le dessus. C'était une autre lettre de Lâm. Plus longue que la précédente. Il écrivait qu'il m'avait attendu jusqu'à la dernière minute, mais il avait dû absolument partir pour rejoindre l'équipe de tournage. Mon comportement dans la salle de bains l'avait troublé. Il avait nettoyé le sang. Il avait cru que je m'étais blessé en glissant dans ma fuite. J'en conclus qu'il n'avait pas remarqué le couteau à steak. Cependant, il se disait heureux. «Jamais, écrivait-il, un baiser ne m'a procuré une pareille sensation de légèreté et de feu.» Il parlait de l'avenir. Il espérait l'impossible. Il parlait aussi d'Anna. Il m'assurait que j'allais guérir. Un technicien, sur le plateau, lui avait raconté que l'ami de son cousin avait été au Mexique et qu'il était revenu la peau couverte de croûtes. Il avait cru mourir. Les médecins avaient finalement découvert qu'il souffrait d'impétigo, maladie de rien du tout qui fait éclore des pustules qu'une simple crème anti-quelque chose crève et assèche. Il avait hâte de revenir. Il insistait: «Appelle-moi le plus tôt possible!» Il me donnait un numéro de téléphone et le nom d'une auberge de Percé. La dernière séquence de *Cul-de-sac II* serait tournée là-bas. Le scénariste et le réalisateur avaient insisté pour terminer la série dans un cadre romantique, connu du grand public. Le couple héroïque, Isabelle et Tâm, connaîtrait enfin, après mille péripéties invraisemblables, l'extase de l'amour physique avec, à l'arrière-plan, le rocher Percé et le scintillement de la mer sous l'œil blanc de la pleine lune. Un paquet de clichés, mais sûrement une fin inoubliable pour *Cul-de-sac II*, une apothéose, écrivait Lâm, qui pourrait déboucher sur *Cul-de-sac III*.

J'ouvris la boîte et mangeai la cuisse de poulet. J'allai m'asseoir dans le salon, face à la fenêtre qui donnait sur l'avenue Coloniale. Le soir arriva. Dehors, il ventait, pleuvait. Des branches d'arbres, affolées, égratignaient la fenêtre. J'ouvris grand les rideaux. J'aperçus dans les rues mouillées des monstres qui se promenaient par bandes. Je réalisai alors qu'un an auparavant, jour pour jour, j'avais volé le manteau d'Anna. C'était le soir de l'Halloween. Comme ce soir. Mais désormais les monstres de pacotille ne me faisaient plus peur. Ils ne connaissaient pas la fulgurance des véritables morts-vivants. J'avais tout éteint dans l'appartement, à l'exception d'une petite chandelle que je ne quittais pas des yeux. C'était mon âme à présent, ce petit bout de feu qui avait de la difficulté à se tenir debout sur sa falaise de cire. Mon âme à rien parce que bonne à rien. Oh! Le vent! Le vent! Comme il était hargneux, ce soir-là. Un dément! Qu'est-ce qu'il avait à hurler comme un loup triste? Je lui criais: «Continue ta plainte, elle me réchauffe.»

Ma pensée roulait comme un ruisseau transparent. Quelque chose, en moi, ne voulait plus être un homme, mais simplement une ombre, apparition aérienne, sans fil, sans prétention.

Ainsi donc je n'existe pas. Le son de la nuit me traverse. Je nais. Voilà. La nuit possède une faille de plus. On attend toujours quelque part un nouveau-né. J'arrive. Mes pas sont louches. Je traverse des rues propres, balayées par la vie, j'ai pensé à m'apporter une pomme, une vieille pomme qui traînait dans le frigo, je la mangerai plus tard, fais quelque chose pour ton âme, mais oui, bien sûr, tout ce qu'elle voudra, j'ai de la chance, je souffre, d'autres meurent de plaisir, tiens, je viens de donner ma pomme à un enfant déguisé en Yogi l'Ours, la ville est bleue et brillante, je dévore les murs de briques, l'asphalte, le ciment cassé des trottoirs, les dernières feuilles de l'automne, en lambeaux, bientôt en poussière, dont l'odeur rayonne jusqu'à mes bronches, mais oui, la vie a trop de sens, il faut en couper, n'en garder que quelques-uns, ceux que tu peux tenir dans le creux de ta main, ceux que tu peux, sans sourciller, laisser tomber par terre comme un paquet de gommes vide, je tourne à gauche ici, je n'ai plus qu'à remonter à présent jusqu'au boulevard Saint-Joseph, c'est un chemin que je pourrais faire les yeux fermés, un an déjà que je ne suis pas venu traîner mes pieds par ici, j'ai changé, observe-moi un peu, tu le vois que je ne suis plus le même, laisse-moi t'enserrer dans mes bras, ça fait un bout de temps que je pense à toi, j'avais besoin de m'écraser la face contre ton écorce rugueuse, de sentir ton odeur de bois humide, si quelqu'un connaît mes illusions, c'est toi, Fred, personne d'autre, tu es mon arbre, je suis ton homme, on ne s'est jamais fait de tort, sans toi, je me serais jeté il y a longtemps par la fenêtre, celle-là, juste au-dessus de tes dernières branches, celle que j'ai ouverte des dizaines de fois pour te parler en cachette d'Anna, j'arrivais de sa chambre où je passais des heures à la regarder dormir, je me tenais debout, respirant à peine, penché sur son sommeil, je m'interrogeais sur la fragilité des paupières d'Anna, je m'exclamais en silence, comme un poisson avaleur d'air, sur la fonction sacrée de ces deux petits morceaux de chair qui divisaient l'univers en deux, qui me rejetaient à l'autre bout de la planète Anna, qui me transformaient en un funambule condamné à traverser sa vie sur le fil de l'espoir, dont le bout si lointain laissait supposer qu'il n'existait pas, que de fois j'ai failli d'un baiser réveiller Anna en espérant que l'ouverture de ses paupières déclenche celle de ses bras, jamais, Fred, je n'ai eu le courage de le faire, K.-O., je retournais au salon, ouvrais la fenêtre et t'ennuyais avec mes jérémiades, mais tu m'as toujours écouté avec ton mystère que le vent rendait sonore, tu n'as jamais rejeté mes paroles que tu mélangeais au bruissement de tes feuilles, tu es mon ami, je n'ai pas besoin de prendre un couteau et de graver dans ton écorce *Christophe aime Fred*, enfermé dans un cœur, tu l'as toujours su que toi et moi, c'était pour la vie, bon, je t'embrasse, j'avais besoin de sentir ton grand morceau de vie si droit et si fixe, je pars, voilà, je ne suis plus ici, je suis là, est-ce que j'ai rêvé, est-ce que Fred ne m'a pas dit, quand je l'ai quitté, que j'étais un pauvre con, oui, il l'a même répété, c'est tout ce qu'il sait dire de toute façon, ce n'est pas sa faute, c'est un arbre-à-pauvre-con, c'est un sage, il sait bien que les mêmes mots, éternellement répétés, suffisent à épuiser toutes les significations, à exprimer tout ce que la matière arrive à dégueuler comme histoires pour divertir les hommes et leurs rejetons, oui, je suis un pauvre con, j'avance quand même, je sors de mes poches tout l'argent que j'ai pu trouver chez moi, je demande, est-ce que ça suffit, ça suffit, me répond l'homme derrière son guichet vitré, j'ai une heure à attendre, j'attends une heure, je monte dans l'autobus pour Percé, je descends de l'autobus dix-sept heures plus tard, c'est l'après-midi, il y a du soleil, il fait froid, un air vif, un vent sauvage, comme s'il y avait du métal dans l'air, je bois deux cafés, je n'ai pas d'argent pour me payer un sandwich, j'entends des conversations autour du comptoir où je gratte, avec une petite cuillère, le sucre ramassé au fond de ma tasse, les gens parlent du tournage de *Cul-de-sac II*, les techniciens préparent le plateau sur la grève, les vedettes sont arrivées par avion, ils vont tourner cette nuit, je sors dans les rues, je me dirige vers le quai, j'aperçois un attroupement, des curieux qui observent les préparatifs, des enfants excités courent partout, des femmes rient, un homme fume la pipe, il y a aussi, garées sur le bord de la route, plusieurs roulottes, je suis certain que dans l'une d'elles se trouvent Anna et Lâm, à moins que chacun ait sa propre roulotte, des jeunes essaient de s'en approcher mais des gardiens les éloignent, j'ai l'impression que les 4000 habitants de Percé ont abandonné leurs occupations habituelles pour se consacrer à *Cul-de-sac II*, je regarde la mer qui s'assombrit au loin, j'aperçois dans le ciel des bandes d'oiseaux, taches blanches qui tournoient, j'entends des cloches, je me retourne, je vois des gens entrer dans une église, je les rejoins, voilà, j'assiste à une messe ou à un office, je ne sais pas, il y a beaucoup de personnes âgées, le prêtre lève les bras, quelqu'un joue de l'orgue, le prêtre raconte une histoire, il répète souvent «mes chers frères», il dit que nous fêtons aujourd'hui dans l'allégresse la Toussaint, fête de tous les saints, «tous les saints», répète-t-il encore, je regarde autour de moi, les gens se lèvent, s'assoient, s'agenouillent, une odeur d'encens flotte, je suis allergique à l'encens, ça ne fait rien, le prêtre donne rendez-vous aux fidèles pour le lendemain, «n'oubliez pas, dit-il, demain, 2 novembre, c'est le jour des Morts, vous avez tous et toutes, chers frères, chères sœurs, un mort, deux morts, trois morts, plusieurs morts qui ont besoin de vous, ne les oubliez pas demain, respectez leur mémoire, priez pour leur âme, une petite journée par an, ce n'est pas beaucoup vous demander, vous les vivants, vous en avez pour vous 364, alors, hein, demain, ne vous contentez pas d'allumer une bougie, allumez aussi votre cœur», les gens sortent de l'église, plusieurs l'avaient quittée déjà, pressés de retourner voir les préparatifs de *Cul-de-sac II*, je reste seul, j'attends, le prêtre revient, s'approche de moi, il me demande de m'en aller, il va fermer l'église à clef, je pars, il fait déjà nuit, j'aperçois le prêtre, il se dirige aussi vers le tournage, je le perds de vue dans la foule, des personnes habillées avec des survêtements orange fluo repoussent les gens, «s'il vous plaît, reculez, il n'y a rien à voir, laissez-nous travailler», j'entends des rumeurs, on a aperçu les acteurs, ils sont encore plus beaux en personne, ils devraient bientôt arriver sur le plateau, plusieurs heures s'écoulent, beaucoup de gens sont partis, découragés, dépités, gelés, ils n'ont pas vu les vedettes qui sont demeurées au chaud dans leur roulotte, le réalisateur est formel, la scène ne sera pas tournée tant que les nuages dissimulent la lune, il lui faut la pleine lune dans toute sa splendeur, ils n'ont pas fait des milliers de kilomètres pour filmer sans le personnage principal, des techniciens rouspètent, tout le monde boit du café, mange des sandwichs, j'ai réussi à m'en voler quelques-uns, la plupart des gens ont levé la tête vers le ciel et guettent la percée des rayons lunaires, j'entends derrière moi un chuchotement, je me retourne, une femme dans la quarantaine, le nez rougi, prie, «je vous salue, Marie, pleine de grâce...», un jeune homme avec des lunettes rouges, sans doute un assistant, s'approche du réalisateur, lui glisse quelque chose à l'oreille, le réalisateur le repousse violemment, il trépigne, «pas question d'ajouter au montage une lune virtuelle, c'est la dernière scène de la série, le public a droit à une vraie lune», j'aperçois Anna, elle a jeté une couverture de laine sur ses épaules, des gens l'ont reconnue, on s'approche d'elle, je m'éloigne, je ne veux pas qu'elle me voie, je l'entends se plaindre, le ton monte, plusieurs personnes parlent en même temps, on discute, on crie, on hurle, des gens applaudissent, tout le monde lève la tête au ciel, la lune, la lune vient de trouer la nuit, le vent se lève, une bourrasque de quelques secondes, puis c'est l'accalmie, puis le branle-bas de combat, « vite, dépêchez-vous, mettez tout en place, allez, allez, bougez votre cul », une réelle émotion parcourt la petite assemblée qui a bravé le froid et supporté l'attente, la femme qui priait m'offre une gomme aux cerises, je l'accepte, mais j'ai honte quand je sens son regard sur mon visage, les personnes vêtues en orange fluo nous repoussent et dégagent un grand périmètre devant la scène, Lâm est déjà sur place, une couverture sur les épaules, il se tient près d'Anna, ils ne se regardent pas, ils ont l'air de deux accidentés de la route, quelqu'un allume le feu de camp qu'on avait préparé près d'une tente, une femme, habillée d'un anorak, verse du champagne dans des verres et les dispose parmi les restes d'un repas étalés sur une nappe posée à même le sol, on allume les projecteurs, une maquilleuse retouche les visages d'Anna et de Lâm, en quelques instants le décor prend vie, une scène idyllique mille fois filmée déjà, un couple beau, jeune, qui a vaincu les forces du mal, sur le point de fusionner dans un cadre enchanteur, la mer, la lune, un feu de camp, un repas frugal bien arrosé et cette masse mystérieuse qui tire à elle le regard, le rocher Percé, présence sombre qu'érafle le vol des mouettes, béance sacrée qui va légitimer l'union des deux héros, le réalisateur s'approche de ses vedettes, leur chuchote quelque chose, on vient prendre leurs couvertures, deux papillons s'extirpent de leur cocon, tout le monde est assommé, la beauté d'Anna et la beauté de Lâm assomment, pas de doute, l'espace se retire des bords du monde, il vient se ramasser autour d'eux, les gratifiant d'une surcharge de blanc, d'un contour de luxe, d'une pigmentation volatile, tout ça à la fois, comme si leur corps pouvait être dense et poreux, ici et là, touchable et intouchable, personne ne parle, tous contemplent, absorbent, sonnés, oui, sonnés par la beauté qui frémit devant eux, Anna porte un robe légère, friable, Lâm une salopette sans chemise, je les vois trembler de froid, j'attends que le réalisateur cric « moteur! », tout le monde est tourné vers lui, mais il fait un geste de la main sans ouvrir la bouche, ça tourne, Anna et Lâm cessent de trembler, leurs regards s'allument, l'été vient d'arriver, leur été, Isabelle et Tâm dansent, la lune scintille, en grande professionnelle elle est venue se placer dans le cadre de l'image, à l'endroit prescrit par les lois immémoriales de l'amour, c'est l'œil qui dit oui, sans pouvoir se fermer, sans donner de repos à la chair, le réalisateur de *Cul-de-sac I, II* et de tous les autres *Cul-de-sac* à venir, innombrables sans doute, est un génie, je l'admets, il a raison sur toute la ligne, toutes les photos dites artistiques ne valent pas le cliché qu'il est en train de tourner, Tâm dépose un baiser sur l'épaule d'Isabelle, leur danse silencieuse s'estompe, ils se dirigent vers le feu de camp, ils ont pris en passant les coupes de champagne, ils se tournent vers le rocher Percé qu'ils contemplent en s'enlaçant, s'assoient, finissent leur coupe, la caméra, sur des rails, roule vers eux, les coince entre le paysage et son attirail de métal et de verre, je n'arrive plus à les voir, je me déplace, je contourne le décor, il y a près d'eux un homme qui tient une longue perche pour le son, Isabelle penche la tête, Tâm fait tomber les bretelles de sa salopette, son torse mince, sculpté, émerge dans le jeu des ombres fugaces que le feu de camp projette,

Tâm glisse sa main sous la robe d'Isabelle, elle se cabre, la pointe de ses seins est visible sous le tissu de sa robe que Tâm lèche comme un petit chat, ils s'embrassent, le réalisateur crie «coupez!», Isabelle et Tâm s'embrassent de plus belle, «coupez! coupez!», la maquilleuse et l'assistant aux lunettes rouges séparent les acteurs, le réalisateur s'approche d'eux, «c'était parfait, j'en ai la chair de poule, mais voilà, vous l'avez jouée dans l'esprit de la scène suivante, celle près du feu de camp devait être faite dans la retenue, des baisers, oui, des caresses, pas de problème, tout ça, c'est parfait, mais n'oubliez pas, il faut quand même ici un peu de malaise, pas beaucoup, un soupçon, juste assez pour faire grimper le désir pour la scène de la tente, et surtout n'oubliez pas les aveux, c'est ça qui compte ici, les aveux, bon, on va reprendre la scène des baisers mais avec du malaise, hein, un peu de maladresse aussi, puis enchaînez avec le texte, mais vous avez été magnifiques, on sent que vous vous aimez, c'est puissant, ça traverse, ah, ça traverse très bien, bon, on se dépêche, Madame Lune va peut-être nous quitter, replacez les accessoires en vitesse, oui, oui, remettez un fond de champagne dans les coupes, et une bûche pour le feu», je lève la tête, la lune est toujours là, il a raison, ils s'aiment, oui, ça traverse, ça me traverse, la caméra tourne de nouveau, ils finissent leur champagne, je sens le malaise, le mien qui me traverse, oui, nous déléguons d'étranges machines vers vous pour capter un peu plus de votre beauté, mais nous ne sommes rien, nous, rien que des insectes d'un soir qu'on retrouve carbonisés au matin, je les dévore encore des yeux, peu m'importe que ce soit Anna ou Isabelle, Lâm ou Tâm, ces noms fondent comme du sucre dans les corps qu'ils croient coiffer de leurs syllabes, je ne suis plus une bouche à Anna, je ne répéterai plus ce nom qui a usé mes lèvres, je regarde Lâm glisser sa main sous la robe d'Anna, il le fait avec maladresse, comme les acteurs sont obéissants, le réalisateur aurait demandé à Lâm d'étrangler Anna, il l'aurait fait, mais il lui a demandé d'aimer Anna avec maladresse, alors il ne sait plus la caresser, et Anna n'offre plus sa bouche avec autant d'abandon, Lâm baisse la tête, il parle, il dit, «Isabelle, j'ai quelque chose à te dire, je t'ai menti, je n'ai jamais eu de petite amie, je ne suis pas ce que tu penses, tu es... tu es la première femme de ma vie, tu es vierge, Tâm, oui, c'est merveilleux, moi aussi, toi aussi Isabelle, oui mon amour, je t'ai aussi menti, tu es le premier homme de ma vie, c'est merveilleux», ils ont répété «c'est merveilleux» en même temps, ils se lèvent, ils se dirigent vers la tente, «coupez!», tout le monde applaudit, «mettez en place les projecteurs pour la scène de la tente», on apporte des couvertures et du café à Anna et Lâm qui s'éloignent, des machinistes envahissent le plateau, déplacent du matériel, je regarde la lune, je regarde le rocher Percé, j'ai la main à l'intérieur de mon manteau, sur le manche d'un couteau, Anna et Lâm pénètrent dans la tente, un projecteur, à l'intérieur, s'allume, leur silhouette apparaît, le réalisateur fait son geste magique, la caméra tourne, les ombres d'Anna et de Lâm ondulent sur la toile de la tente, s'enlacent, fusionnent, se noient l'une dans l'autre, éclaboussent, puis se séparent, les silhouettes réapparaissent, on entend une musique, je reconnais, dès la première note, *Let's call the whole thing off*, oh, Anna, pourquoi, pourquoi as-tu fait ça, notre chanson fétiche, tu l'as offerte au réalisateur de *Cul-de-sac*, tu n'as pas de cœur, mon petit amour, qu'est-ce qui s'agite dans ta poitrine, un oiseau sans mémoire, un tiroir vide, oh, excuse-moi, Anna, excuse-moi, je n'ai plus le droit de me servir de ton nom comme si c'était la chose la plus banale, offerte au premier venu, je te rends tes deux syllabes sacrées, je n'ai rien à te reprocher, qui suis-je pour le faire, danse, Anna, danse avec Lâm, *you like potato, I like also potato,* oui, dansez, n'êtes-vous pas que des ombres agitées par le désir, n'êtes-vous pas faits d'une matière qui se lève avec la lune, qui s'effiloche avec le temps, matière imprécise, oui, qui est qui, qui enlève sa robe, qui dévoile la courbe de ses fesses, qui tangue dans le vol des insectes déchiquetés par la lumière, *you like tomato,* la lune aussi *likes tomato,* rouge, ronde, pleine, piquée dans le coin du cadre comme une tache scintillante, voilà, ils sont nus, mais on ne voit rien, et c'est affolant, ce rien dans leur chair, cet œil qui ne prend jamais son aise dans leurs chairs, cet œil, le mien, celui des millions de téléspectateurs, celui de la caméra, le réalisateur de *Cul-de-sac* est un génie, enfermer deux amoureux dans une tente, mettre le feu à l'intérieur, et donner en spectacle le soubresaut de leur ombre sexuelle, de leur spasme d'un soir de pleine lune avec, en prime, le trou du rocher Percé, fauve borgne léché par la marée agonisante, *let's call the whole thing off,* ça y est, ils le font, dans cette tente bleue qui a emprisonné mon rêve, ils le font, le mot amour ne me donne plus envie de rire, de me moquer, le mot amour, fait devant moi, cesse d'être un mot, les cheveux d'Anna explosent, les hanches de Lâm se déboîtent, je m'approche, les ombres palpitent sur la toile, multipliées, je vois un tigre, il ouvre sa gueule, sa gueule se retourne, c'est une mont-golfière, un parasol, un aigle qui fend l'air, s'écrase, renaît sous la forme d'un dauphin, il enfle, se divise en deux, hésite, se refond en une plante grasse qui tressaille, gicle, s'éparpille en vaguelettes, je ferme les yeux, je fais un pas, je regarde à nouveau, l'amour n'a rien à faire avec moi et moi, je n'ai rien à faire avec lui, le réalisateur est sur le point de crier son «coupez!», je cours vers la lumière, je plante le couteau dans la toile de la tente, le temps, au lieu de se bousculer, s'écoule comme un sirop, fige, je suis pris dedans, je regarde Anna et Lâm, nus, comme une chose unique, une chose en sueur qui m'interroge, crie avec les yeux, la lumière des projecteurs me brûle, j'ai un blanc, qu'est-ce que je suis venu faire à Percé, je cherche dans les yeux d'Anna et de Lâm la réponse, ah oui, le couteau, oui, le couteau... la Nuit des Papillons, je sais maintenant ce qui s'est passé là-bas... le désir de tuer... oui, j'ai levé le bras, j'ai visé le cœur de Rita, j'ai fermé les yeux... j'ai abaissé dans un cri le couteau... si Rita ne s'était pas retirée à la dernière seconde, je l'aurais tuée... je suis... un monstre... voilà pourquoi j'ai un couteau dans la main, est-ce que le temps redémarre, non, pas encore, le temps s'assoit dans un coin et observe, qu'est-ce qu'ils font, tous ces gens, derrière moi, à crier, je m'agenouille, non, je penche la tête, mais c'est la même chose, le réalisateur répète «coupez! coupez!», le temps redémarre, je me redresse, j'abaisse mon bras, je plante le couteau dans l'autre paroi de la tente, je m'enfuis par l'ouverture, dans ma course je fais tomber des projecteurs, j'entends le bruit d'une explosion, je me retourne, j'aperçois Anna et Lâm qui sortent de la tente en flamme, ils sont saufs, des gens piétinent la tente pour empêcher l'incendie de se propager, je cours droit devant moi, mes pieds s'enfoncent dans la vase, soudain le ciel avale la lune, et la nuit avale le ciel, je devine, au loin, la masse inquiétante du rocher Percé, j'entends mon nom, c'est Lâm qui le crie, j'avance sans reprendre mon souffle, je ne vois plus rien, la marée basse a laissé des flaques d'eau, des galets glissants, des algues gorgées, quoi d'autre encore, des milliers de cadavres sans doute, épaves infectées, souvenirs à l'abandon, restes de cœur, déchets amoureux, je ne peux les voir, mais je les piétine à chaque pas, en cet endroit du monde, à cette heure de la nuit, toute chose a la forme d'un rat visqueux, triste, fendu en deux, le vent se lève de nouveau, est-ce le vent, non, c'est un hurlement, j'arrive à peine à respirer, j'avance, j'avance, l'océan m'emplit de son grondement, je m'enfonce jusqu'aux genoux dans quelque chose de mou, un rat fendu en deux, quoi d'autre en cet endroit du monde, je me dégage, je reprends ma course, je tombe, j'ai la bouche pleine de vase, je me débats, j'avance à quatre pattes, mes genoux saignent, où est le couteau, je ne l'ai plus, je le cherche dans le noir, j'abandonne, je suis fait de quoi, de varech c'est certain, je suis l'homme aux cuisses de glaise, cuisses-poissons, je fais ah! ah! un nouveau-né fait ah! ah! au monde penché sur lui, à mon tour de faire ah! ah! à l'univers qui grouille sous moi, ah! ah! au rocher Percé qui m'envoie son haleine de calcaire et de fientes de goélands, ah! ah! à la petite fleur du destin... ah, la lune, elle refait surface, ah, elle est encore plus pleine que tout à l'heure, comme si elle avait dévoré les nuages qui l'étouffaient, la lune du rocher Percé est mille fois plus pleine que celle d'Isla Mujeres, mille fois plus intelligente, mille fois plus vieille, mille fois plus indifférente, ce n'est qu'un trou dans la mémoire, j'arrive au Rocher, comme une bête, grise, aux bouts fendus, je me relève, je tiens un galet dans la main, j'aperçois des taches blanches sur les parois du rocher, peut-être des oiseaux qui ont oublié de partir pour le Sud, ou est-ce des âmes qui ont fait leur nid dans le roc à force d'entêtement, oui, ce sont des âmes que j'entends siffler, je n'ai plus froid, je n'ai plus rien, sauf le galet et mes vêtements pleins de vase, je marche vers le trou du rocher, je me tiens au milieu, le bruit de l'océan s'engouffre dedans, je vais faire quelque chose pour mon âme, je vais la délivrer de la Bête, Rita, c'est ta fête ce soir, le prêtre l'a dit tout à l'heure, il est minuit à présent, bonne fête, mais reste morte, surtout reste morte, laisse-moi dire adieu à l'amour qui ne se fait pas, adieu à toutes ces copulations rêvées mille fois, adieu à tous ces baisers fantômes qui errent à la recherche du visage aimé, adieu à ces caresses orphelines, adieu à ces pénétrations qui n'ont pénétré que du vent, adieu à ces mots humides qui ne se sont jamais déposés au fond d'une oreille, il est encore minuit, la lune glisse son œil dans le trou du rocher, la nuit blanchit, je suis l'homme de vase et de varech, mes cuisses-poissons déchirent leurs muscles et avalent les embruns, je ne souffre pas d'impétigo, le sang de la méduse coule dans mes veines, c'est un poison heureux qui m'enivre, je comprends pourquoi minuit n'avance plus, il m'attend, le couteau, ce n'était pas pour Anna et Lâm, mais pour moi, je le sais à présent, je baisse mon pantalon, je m'assois au centre du trou, devant moi le hasard a déposé une pierre, le hasard ou le destin, quelque chose a déposé devant moi une pierre, un morceau de calcaire tombé du rocher, je m'assois devant, j'ai perdu le couteau, mais j'ai le galet, je prends mon sexe avec ma main gauche, je l'étire, je me dis que si j'avais dix sexes, j'écraserais les dix, je lève la tête, une bande de goélands se détachent du rocher et descendent vers moi, avant qu'ils n'arrivent, je lève très haut ma main droite et je fracasse le galet sur mon sexe.

14

LE BEL AU BOIS DORMANT

Un an plus tard, le 2 novembre, jour des Morts, dans une chambre d'hôpital, je revins à moi. En perdant ma virginité avec Anna. Lâm tenait dans ses bras une petite fille du nom de Lili.

Lâm et Anna me racontèrent les détails. Cette nuit-là, toute l'équipe du tournage et une partie des habitants de Percé étaient partis à ma recherche. Ils retrouvèrent mon corps juste à temps avant que la marée montante ne l'arrache au trou du rocher et ne l'emporte au large. J'étais plongé dans un profond coma. Un petit avion me ramena à Montréal. Mes parents furent appelés d'urgence à mon chevet. Ils venaient d'hériter d'un légume. Les médecins m'avaient condamné sans avoir pu expliquer la cause de mon coma. J'avais subi une commotion, petite, qui n'expliquait rien. Je n'avais pas écrasé mon sexe avec le galet. Mes sauveurs m'avaient retrouvé avec le pouce en bouillie. J'avais mal visé.

Le réalisateur de *Cul-de-sac* avait trouvé géniale mon apparition forcenée dans la tente. Il s'en était inspiré. Il avait refilmé la scène. Isabelle et Tâm, dans cette nouvelle version, ne connaissaient pas les premières extases de l'amour physique. Un maniaque, armé d'un sécateur géant, découpait la tente en morceaux. Les deux héros réussissaient, après une scène de poursuite et de bataille remplie d'invraisemblables pirouettes athlétiques, à retourner le maniaque au monde de la psychiatrie et de la prison. Le téléspectateur n'avait pas eu d'autre choix que d'attendre l'arrivée de *Cul-de-sac III* pour assister à la conclusion des ébats amoureux du jeune couple. Mais Anna était tombée enceinte. Le scénario de *Cul-de-sac III* avait alors été entièrement refait autour du personnage de Tâm et de ses péripéties de jeune loup sympathique, Anna n'ayant eu à tourner que quelques apparitions : des plans moyens qui la montraient à partir des seins, et des gros plans du visage. *Cul-de-sac IV* allait enfin consacrer l'amour des deux aventuriers dans une scène que la publicité annonçait comme la plus osée, la plus érotique de l'histoire de la télévision. Un sondage auprès des téléspectateurs avait indiqué que la récente maternité d'Anna ne mettait d'aucune façon en péril la crédibilité de son personnage qui, en raison des circonstances, était demeuré vierge. Le public aimait Anna. Le public aimait son bébé. Le public aimait Lâm, le papa. Le public les adorait tous les trois et en redemandait.

Le jour des Morts, cette sainte famille s'était retrouvée dans ma chambre. J'étais beau à voir. Un prince. Le Bel au bois dormant. C'était Lâm qui m'appelait ainsi. Mon coma avait été le remède le plus efficace à tous mes problèmes physiques. Ma peau avait perdu ses gales et ses pustules. Je ne ressemblais plus à un alligator. Plus rien ne semblait me torturer. Anna, avec ses deux syllabes sacrées, s'était alors allongée sur moi et m'avait offert un baiser. Elle était demeurée sur mon corps en pleurant pendant que Lâm nous contemplait en tenant dans ses bras la petite Lili. Le contact de ses larmes sur mes joues avait extirpé soudain ma conscience de la torpeur. Sans

transition, j'étais revenu à ce qu'on appelle naïvement
«moi». Petit spasme d'une ampoule bleue.

J'étais pourtant incapable du moindre mouvement, pas même celui d'ouvrir les paupières. Je ne
savais ni où je me trouvais, ni pourquoi je me trouvais
là. Pour un instant, je ne fus que ça: la conscience des
larmes d'Anna sur mon visage. Rien d'autre. Un miroir
qui recueille un liquide chaud. Mon instinct de vie,
enroulé autour d'une larme, en absorbait les éléments
les plus microscopiques. Il les analysait, les regroupait,
les réorganisait, les identifiait: Anna. C'était Anna qui
pleurait sur moi. Mais pourquoi? Elle avait encore déposé un baiser sur mes lèvres qui, du coup, naissaient
de mon visage amorphe. Elle s'était relevée et j'avais eu
la sensation qu'elle était partie avec ma peau, qu'elle
l'avait arrachée, soudée à la sienne, que je gisais, non
pas nu, mais écorché sur ce que je devinais à présent
être un lit. Le mien? Sûrement pas. Mon odorat, à son
tour, s'était réveillé. Pas de doute: je n'étais pas chez
moi. Ça sentait l'hôpital. Puis j'avais entendu des voix.
Elles s'effilochaient comme des tissus qu'on déchire.
J'arrivais à sauver de temps en temps un mot intact de
ce fouillis. Peu à peu le casse-tête de mon existence
se reformait. J'avais reconnu bien sûr la voix d'Anna,
mais aussi celle de Lâm. Ils parlaient de moi. Au ralenti.
C'était moi plutôt qui les suivais avec difficulté. Quand
je compris enfin ce qu'ils se disaient, je lâchai un cri.
Un gigantesque hurlement.

Mais rien ne sortit de ma gorge. Je n'avais même
pas remué la langue. Anna et Lâm continuaient de
parler. Ils ne faisaient que répéter la même chose: «Ses
parents se sont décidés, douze mois d'angoisse, d'espoir déçu, ils se sont résignés, il faut les comprendre,

regarde-le, il a trouvé quelque chose, l'insouciance, la paix, son visage rayonne, c'était un tourmenté, chaque respiration lui demandait un effort d'imagination, mais il respire encore, ce n'est plus lui qui respire, ce sont ses poumons, lui, il n'est plus là, tu comprends, oui, mais je trouve ça difficile, ses parents ont pris la bonne décision, j'aurais fait la même chose, tout le monde aurait fait la même chose, non, je ne suis pas d'accord, j'aurais encore attendu, arrête, tu te fais du mal, mets-toi à sa place, il est plongé dans du béton noir, qui sait s'il ne souffre pas le martyre, mais non, les médecins sont formels, il ne possède plus aucune sensibilité, cliniquement il est mort, les médecins, les médecins, qu'est-ce qu'ils savent, ce sont des hommes comme nous, ils se trompent comme tout le monde, plus souvent même que les autres parce que leur profession les place dans des situations où il n'y a que le mystère qui tienne son bout, tu as raison, mais avoue que ça ne peut plus continuer comme ça, ce soir, ils vont le débrancher, pauvre Christophe... »

Me débrancher ? Je comprenais dans l'affolement que j'étais emprisonné dans mon corps, que des fils, des tubes, des sondes me reliaient au monde, qu'un simple clic abolirait ce simulacre de vie, qu'un inconnu en blouse blanche, dont je sentirais l'odeur d'amidon, me débrancherait dans quelques heures avec l'autorisation de mes parents, que je partirais pour toujours à la dérive, les yeux ouverts sous mes paupières paralysées. J'avais essayé de nouveau de crier, mais j'étais le seul à entendre le vacarme de mon désespoir. Rien n'avait bougé à la surface de mon corps. Un lac d'où le vent aurait été chassé. J'entendais les voix d'Anna et de Lâm avec de plus en plus de difficulté. Étaient-ils en train de quitter la chambre? Si je pouvais moi aussi pleurer, produire une larme, une seule, peut-être la verraient-ils scintiller au coin de mon œil, peut-être comprendraient-ils qu'il y a encore un petite lumière allumée quelque part en moi. Comment fabriquer une goutte d'eau quand on n'est plus que noir et immobilité? J'étais égaré dans mon corps. Il pouvait débuter à des kilomètres de moi. Où trouver en moi l'endroit où ça coule?

Dans un ultime effort, je ramassai tout ce que j'avais été, souvenirs, espoirs, désirs, remords, peurs, rêves, mensonges, vanité, hypocrisie, fougue, appétit, humiliation, vengeance, rancune, amour, rires, je mélangeai tout ça avec l'espoir que ça deviendrait une larme, une simple larme qui aurait pu répondre à celle qu'Anna avait déposée, en guise d'adieu, sur ma joue il y a quelques instants. Je poussai, je poussai. Soudain je sentis quelque chose. Un relâchement. Une ouverture. Un décochement. Un éclair. Oui, quelque chose avait enfin bougé dans mon corps. Puis tout s'était déroulé rapidement. Ce n'était pas d'une larme que mon effort surhumain avait accouché, mais d'une érection. C'était dans mon sexe que mon cri s'était ramassé. Lâm, avant de quitter la chambre, s'était retourné pour m'offrir un ultime regard. Il avait fait un pas vers mon lit. Il avait cru voir mon drap se soulever. S'étant persuadé d'avoir rêvé, il allait rejoindre Anna quand mon drap s'était mis à frémir de nouveau. Il s'était précipité vers moi, avait rejeté mon drap. Sa main chaude m'avait fait ouvrir les yeux. Ils étaient secs, clairs. J'ai regardé Lâm. Sans mots, je lui parlais. Sans m'entendre, il m'écoutait. J'ai vu, dans ses yeux, qu'il m'avait compris. Il a quitté la chambre, est revenu avec Anna quelques instants plus tard.

Anna m'a alors offert son corps. Le mien est revenu au monde au moment où il a connu, pour la première fois, la jouissance.

Anna.

15

COME-TO-ME-AGAIN

Quelques semaines plus tard, je marchais, je m'habillais sans aide.

Peu de temps avant ma sortie, prévue pour Noël, on avait installé la télévision dans ma chambre. Anna et Lâm m'avaient promis de venir regarder avec moi le *making of* de *Cul-de-sac IV*, émission spéciale sur la nouvelle série qui serait diffusée dès le printemps. On y verrait le tournage, Anna et Lâm dans leur nouvelle maison avec leur bébé et même, en primeur, des extraits de la scène tant annoncée que toute la population attendait de regarder afin de participer, à sa façon, à l'union charnelle d'Isabelle et de Tâm. Le soir de la diffusion, j'attendais avec impatience l'arrivée d'Anna et de Lâm dont chaque visite provoquait, chez le personnel de l'hôpital, des vagues d'excitation. Je crois même que j'étais devenu, grâce à mes visiteurs célèbres, un patient dont on était fier de s'occuper. J'ouvris à l'avance la télévision. En zappant, je tombai sur Xénophon.

Une équipe de télévision montréalaise s'était déplacée à Los Angeles pour faire un reportage sur le phénomène Come-to-me-again. C'est ainsi que se faisait désormais appeler Xénophon. En l'espace d'un an, il était devenu une star religieuse que les *talk-shows* américains s'arrachaient. Les foules se déplaçaient pour venir l'entendre dans les centres commerciaux, sur les grands boulevards. Ses cheveux étaient encore plus longs, sa barbe encore plus historique, ses yeux encore plus creux. Il prêchait un retour aux valeurs primitives du Christ enfant, avant l'édification de l'Église, dénonçait les douze apôtres, les traitait de «douze traîtres», mettait en garde l'humanité contre l'omnipotence du Diable, déclarait commencée la guerre sainte, crachait sur les caméras qui le filmaient, ouvrait les bras et expliquait son horreur des enfants de l'Amérique, pour la plupart pourris, porteurs de germes, puis hurlait qu'il fallait sauver les autres, les purs, les naïfs, les rares non encore mordus par la chienne de l'argent, du sexe, du jouet, de la mode, de la drogue, non encore hypnotisés par Hollywood et son troupeau de veaux d'or, ses starlettes aux organes lubriques, ses cow-boys décérébrés, bons qu'à conduire des jeeps et à appuyer sur des gâchettes. Mais cette fois-ci, la caméra n'était plus en mesure de faire un zoom sur les pieds de Xénophon : ils n'existaient plus.

Xénophon avait tenu sa promesse. Il était même allé au-delà : il s'était tranché les orteils et les pieds. Deux moignons terminaient ses jambes. Come-to-me-again ne se déplaçait plus qu'en fauteuil roulant que de nombreux disciples, habillés avec soin, se disputaient l'honneur de pousser. Le journaliste avait pris un ton plus grave pour informer les téléspectateurs que les morceaux amputés du nouveau prophète faisaient l'objet d'un marché noir lucratif. Des faux disciples vendaient des reliques de Come-to-me-again. Un orteil pouvait se vendre jusqu'à dix mille dollars. Ces reliques, fausses ou vraies – mais sûrement fausses pour la plupart car une enquête rapide relevait déjà plus d'une centaine de fervents propriétaires d'orteil, sans compter ceux qui s'étaient portés acquéreurs d'un bout de talon ou de toute autre partie du pied – passaient pour posséder des pouvoirs de guérison. Come-to-me-again avait même affirmé qu'il se trancherait les jambes et, après, le reste, tout le reste, qu'il monterait ainsi, échelon par échelon, jusqu'au ciel, c'était la moindre des choses qu'il pouvait faire au nom de l'Amour. Le journaliste dévoila alors un scoop : Come-to-me-again avait promis à une grande chaîne américaine de se trancher en direct, dans ses studios, la nuit de Noël, le moignon droit. Il avait mentionné qu'il ne s'enlèverait pas moins de dix centimètres de chair. Comme pour le précédent reportage, celui-ci se terminait sur un gros plan du visage du nouveau prophète qui, avec un accent francophone très prononcé, semblait ne s'adresser qu'à moi : *I am who I am, I am Come-to-me-again.*

J'éteignis la télévision, dégoûté. Je regardai mon pouce écrasé. Il en manquait un bon bout. Je n'étais pas mieux, au fond, que Xénophon. Nous étions tous les deux des monstres. Mais lui, ce Come-to-me-again, avait trouvé son dieu : le spectacle. Son sacrifice grotesque culminait sous le regard avide des studios de télévision. Et moi ? Je n'avais trouvé que l'échec. J'étais un monstre d'inaptitude, d'aveuglement, de passivité. Quel sacrifice insipide avais-je offert aux yeux du monde ? Un morceau de pouce. J'avais été un incapable sur toute la ligne. J'avais tout raté. Il m'avait fallu tomber dans le coma pour faire l'amour pour la première fois de ma vie. J'avais presque trente ans. Et à présent ? J'attendais dans une chambre d'hôpital : j'attendais Anna et Lâm. Mais qu'est-ce que j'espérais d'eux ? Et, surtout, qu'est-ce que j'étais en mesure de leur offrir ? J'étais même jaloux de Lili qui condensait, dans le petit espace qu'elle apportait au monde, les deux beautés immenses de ses parents. Ils étaient trois, heureux, complets. Qu'est-ce que je venais faire dans leur histoire? *I am who I am.* Mais moi, *who am I*?

C'était décidé : je ne regarderais pas le *making of* de *Cul-de-sac IV*. Si je possédais encore un peu de volonté et de cœur, je devais oublier Anna et Lâm, sortir de leur vie, ne plus jamais les revoir. J'enlevai en vitesse mon pyjama, enfilai un jeans, un chandail de laine, un manteau. Et je m'enfuis.

J'avais cru que s'échapper d'un hôpital ne serait pas chose facile. Mais je n'avais eu qu'à me comporter normalement pour franchir sans problème la grande porte vitrée qui donnait sur le trottoir. N'avais-je pas, après tout, l'air normal? Un froid piquant m'accueillit. Je plongeai les mains dans les poches de mon manteau et je marchai.

Marcher, s'éloigner, disparaître. Être seul avec ses pas, avec la rue, avec les néons de la ville que le froid de décembre maintenait dans une sorte de stupeur. La neige tombait. C'était peut-être la première de l'hiver.

16

FRED

Quelques années plus tard, Anna se tua lors du tournage d'un film. Des millions d'admirateurs, au début, ne voulurent pas croire à cette histoire de parachute défectueux que tous les médias avaient rapportée, interrompant le cours normal de leurs émissions. Mais ils finirent par l'admettre. Moi, je l'avais crue tout de suite. Mon cœur m'avait fait trop mal. Anna n'avait pas voulu être doublée par une cascadeuse.

Comme des milliers d'autres, j'attendis à l'extérieur que les grandes portes de l'église s'ouvrent et laissent passer le cercueil d'Anna, suivi d'un long cortège de gens tristes. C'est à ce moment que je vis Lâm. Il donnait la main à une petite fille de six ans. Les gens applaudirent spontanément au passage du cercueil: un dernier hommage à Anna. Ma poitrine se serra. Je regardai Lâm s'éloigner. J'avais été incapable de lui faire signe.

Une tempête de verglas, peu de temps après, s'abattit sur la ville. Au petit matin, je me précipitai dehors. Je contemplais, fasciné, les façades, les autos, les poubelles. Une harmonie surnaturelle reliait tous ces objets entre eux. Un peintre, venu du ciel, avait fait de Montréal un tableau où la beauté, sans dormir, atteignait la perfection de l'immobilité. Je ne déambulais plus dans une ville mais dans le rêve qu'elle s'était fabriqué sans demander la permission à ses habitants. Comme un enfant cosmonaute, je glissais entre les failles d'un paysage entêté et dur.

Au carré Saint-Louis, une branche tomba d'un arbre. Je l'évitai de justesse. Puis, très vite, d'autres ne résistèrent pas au poids de la glace accumulée. Fred! Tout de suite, je pensai à lui. Je courus comme je pus jusqu'au boulevard Saint-Joseph. Fred gisait en travers de la rue, cassé dans son habit de verre. Des gens criaient à d'autres de rentrer chez eux. La ville devenait dangereuse. Fred avait écrasé une voiture. Je m'approchai et posai mes deux mains nues sur lui. La glace fondit sous mes paumes. Je collai mon oreille contre son tronc: je percevais un fourmillement léger et sombre. Une insistance à s'étirer encore dans le temps. J'enlaçai l'arbre de mes secrets avec mes bras trop petits. J'essayais de me fondre en lui. Je pleurais mais je ne le savais pas. Je pleurais la mort d'Anna. Mon corps s'enfonça doucement dans l'écorce de l'arbre. Je disparus. Je flottais soudain à l'intérieur de Fred. C'était blanc, aveuglant, puis reposant. L'arbre coulait comme une rivière. Je partis avec lui. Le courant m'emporta très loin. Je criai: «Fred, où est-ce que tu m'emmènes?» Il me répondit sans attendre: «Au pays de quatre lettres!» Qu'est-ce qu'il voulait dire? Je lui criai: «Qu'est-ce que tu veux dire, Fred?» Il rit, puis me répéta: «Un, deux, trois, quatre, un, deux, trois, quatre....»

— Mais Fred, je ne connais qu'un fantôme de quatre lettres. Tu sais bien de qui je parle.

— De moi!

Je levai la tête. Anna descendait en parachute. Plus elle s'approchait, plus le blanc m'aveuglait. Quand Anna se posa près de moi, je cessai de la voir.

— Ferme les yeux, Christophe.

Je lui obéis. Je la vis alors de nouveau. C'était Anna lumière.

— Veux-tu que je mange ma bicyclette?

— Christophe, quel âge as-tu?

— Sept ans.

— Et ça fait combien d'années que tu as sept ans?

— Euh... Tu souffres, Anna?

— Un fantôme ne souffre pas.

— Qu'est-ce que tu fais à l'intérieur de Fred?

— Les fantômes de quatre lettres habitent ici. Mais pas pour longtemps. Nous serons bientôt obligés d'aller ailleurs. Ouvre les yeux!

Je lui obéis. Elle n'était plus là. Le courant devint plus fort. Tout vola en éclats. Une grande bouffée d'air me fit tourner en tous sens. Je fermai les yeux. Je vis alors Rita. Des papillons de glace l'entouraient. J'ouvris les yeux pour ne plus la voir. Mais Rita, que mes yeux soient ouverts ou fermés, demeurait visible.

— Quel âge as tu, Christophe?

— C'est une manie ici de demander aux gens leur âge!

— Réponds-moi.

— J'ai quatorze ans.

— Maintenant, ouvre les yeux.

— Ils sont déjà ouverts.

— Tu appelles ça ouverts! Ouvre-les!

Je les ouvris si fort qu'ils tombèrent. Je les vis, mais avec quoi, rebondir comme des billes. Je courus après. J'essayai de les rattraper. Mais dès que je croyais le faire, ils s'évanouissaient dans l'atmosphère. Fatigué, je me laissai tomber. Mais sur quoi? Tout devint brouillard.

Une seule goutte de couleur résistait : mon cœur. J'aperçus alors Fred, debout sur ses racines. Il dansait. Non. Il ne faisait rien. C'est moi qui sautais partout autour de lui. Fred !

— Je suis son fantôme de quatre lettres. Les employés de la Ville sont en train de me couper les branches.

— Non !

— Ne t'énerve pas ! Ils ne vont quand même pas me laisser pourrir au beau milieu du boulevard Saint-Joseph ! Ils font leur travail. Tu leur diras que je suis désolé pour l'auto que j'ai écrabouillée. J'ai voulu éviter un écureuil en tombant. Mais cesse de sauter comme ça !

— Je ne sais pas pourquoi je saute comme ça.

— Tu es nerveux. Quel âge as-tu ?

— Pas toi aussi !

— Quel âge as-tu ?

— J'ai vingt et un ans.

— Tu es sûr ?

— Ah non, c'est vrai, j'ai vingt-huit ans. Le temps passe !

— Tu ferais mieux de partir maintenant. Les employés de la Ville...

— Je ne t'entends plus !

— Va...

— Fred !

Deux hommes m'agrippèrent par les épaules. Il leur fallut l'aide d'un troisième pour me séparer de Fred. Les trois employés de la Ville, en uniforme jaune, m'examinèrent comme si j'étais fou. Une gigantesque remorque faisait tournoyer son gyrophare. L'érable n'avait plus de branches. On s'attaquait déjà à son tronc avec une scie géante qui hurlait dans l'écorce. Je voulus me jeter sur Fred pour le protéger. Un homme très gros, portant un casque de protection, m'immobilisa.

— Monsieur, quel âge avez-vous pour agir comme ça?

— Trente-cinq ans.

— Laissez-nous faire notre travail. Partez d'ici, sinon j'appelle la police. Allez, dégagez!

J'esquissai un départ. Puis je revins sur mes pas. Je voulais faire un dernier adieu à Fred, mais les hommes en jaune me repoussèrent sans ménagement. Je quittai les lieux, un morceau d'écorce dans mes poches.

Je tombai plusieurs fois. Montréal s'était transformée en une patinoire pleine d'obstacles. Le soleil du matin avait réchauffé la ville qui fumait. Je rencontrai peu de gens. Les rues, sans le trafic des automobiles, prenaient des allures de glissoires. Très vite les contours de la ville s'estompèrent. Je réfléchissais, invisible. Pourquoi ces fantômes de quatre lettres: Anna, Rita, Fred? Et ces autres que je devinais dans le brouillard: mort, sexe, réel? Pourquoi la vie me ramenait-elle sans répit sur des chemins glissants, vers des êtres poreux, changeants, pénétrables, évanescents au point de disparaître dans l'air?

Le soleil de midi dissipa en partie le brouillard. La ville réapparut par fragments, dans une mise en scène qui la rendait gothique, surréaliste, enfantine. Je me retrouvai au parc Lafontaine. Plutôt sur la planète parc Lafontaine. Rien n'avait l'air d'être ce qu'il était. Des arbres couchés, des paquets de racines renversés, des troncs fendus, des branches arrachées, et des arbres droits, très droits, mais transfigurés par la lumière, totems qui laissaient tomber des pierres précieuses sur le sol. Un paysage de déchirures que la beauté rendait indolores. Un paysage qui ne tenait pas en place une seconde. Qui partait, revenait, méconnaissable ou faussement ressemblant.

Un grand éclat de rire s'empara de moi.

Je retournai à l'appartement chercher mon Canon. Il était caché sous une pile de chaussures. Je le sortis de son étui. Je ne l'avais pas tenu dans les mains depuis le Mexique. Sept ans déjà. Le temps avait filé. Je repartis dans les rues glissantes afin d'attraper le fantôme de la ville.

FIN

ANNALEXIQUE

À la mémoire d'Anna

ANNALEXIQUE

ANNA BOURRASQUE : Change-
ment brusque dans la vie de
quelqu'un qui l'amène à vivre
une crise d'identité, des sai-
gnements de nez et du fil à re-
tordre contre vents et marées.
Il est rare qu'on survive à deux
anna bourrasques, car si la première vous aplatit comme une
crêpe, la seconde vous roule
comme un cigare au chou
(plat québécois controversé)
dans la sauce de l'amertume.
En Écosse, cornemuse de
grande dimension qui néces-
site une dizaine de personnes
pour produire un son. Le
clergé s'est longtemps opposé
à son utilisation, mais sans succès. Aujourd'hui, on constate
sa revalorisation et plusieurs
festivals d'anna bourrasque
ont lieu chaque printemps sur
les côtes escarpées et aspergées
d'Écosse. Une chanson populaire, qui en vante les attraits
et les prouesses, a même fait
le tour des sept mers. En voici
le refrain qui rappellera de
joyeux souvenirs à plus d'un :

Soufflons soufflons
l'anna bourrasque
fait tomber nos masques
gonflons gonflons
l'anna bourrasque
fait rouler nos casques

Mais moi, Anna, je n'ai pas
le cœur à chanter ni les poumons à gonfler. Je subis l'anna
bourrasque chaque seconde
de mon existence. J'ai battu
tous les records d'endurance
et développé une étonnante
résistance à la bourrasque de
ton indifférence. Si un peintre
d'obédience symbolico-figura-
tive voulait croquer sur le vif
les affres de mon âme, je lui
suggérerais de calquer le gi-
gotement du poisson hors de
l'eau.

ANNA CATASTROPHE : Événe-
ment à chevelure blonde qui
fracasse le miroir du jour au
moment où j'y plonge. Sa
contemplation ouvre l'œil du
typhon jusqu'à l'aveuglement.
Seconde qui fait déborder le

temps. Le mien. Diminue les possibilités de ma survie. Je n'y peux rien, je te vois, je me noie. Je préfère le naufrage, si c'est toi qui le provoques, au secours gris du sommeil.

Anna dose : Unité de mesure utilisée en état d'urgence. Nom donné aux petites fleurs blanches qui poussent dans les pays étrangers et dont on cherche toujours le nom. Éruption cutanée qui accompagne le sevrage : « Se réveiller recouvert d'anna dose. » Terme de poterie employé pour désigner les pots cassés. Chez les peuples nomades du désert, réunion familiale où les tabous tombent, d'où l'expression « ramasser l'anna dose », qui signifie alors ramasser les débris de la fête ou, plus trivialement, faire le ménage. Dans les Caraïbes, boisson faite d'alcools différents qui se superposent et qu'on offre à la première venue. Chez les peintres du dimanche, térébenthine bon marché. Chez moi, cela rappelle un rêve. Je visitais un musée au Mexique. Au Yucatán sans doute. Je me trouvais dans une vaste pièce peu éclairée où on avait disposé sur les quatre murs des tablettes de bois. En m'approchant, j'aperçus des petites bouteilles qu'on avait déposées çà et là avec, au-dessous de chacune d'elles, une inscription faite dans une langue proche de l'espagnol mais dont le script avait l'allure de hiéroglyphes à mi-chemin du dessin et de la lettre. Je m'approchai encore plus près, intrigué, aimanté, rempli d'une expectative soudaine : j'étais sans doute sur le point de faire une découverte palpitante. Mais, une fois le nez pratiquement collé sur eux, je pris conscience que ces objets d'art n'étaient que des bouteilles de Coca-Cola miniatures. Loin d'en être déçu, j'exultais. Je venais du même coup – comment ? Je ne sais trop – de m'apercevoir que je pouvais décrypter les inscriptions qui les accompagnaient. Sous l'une d'elles, je lisais : *anna dose, verre, 1988, période critique dite montréalaise.* Sous une autre : *anna dose, verre teinté et tordu, 1994, période classique, formule renouvelée.* Toutes ces bouteilles étaient des anna doses ! J'en pris une entre mes doigts et la plongeai dans un rai de lumière qui, providentiellement, venait de zébrer la pénombre du musée. Je la scrutai comme un diamant et, après un éblouissement, pus observer à l'intérieur un léger mouvement qui se condensa pour former une silhouette et un minois : toi. Anna, que faisais-tu donc dans cette bouteille de

Coca-Cola maya? Tu me fis un signe du nez comme la Jinny enfermée dans sa bouteille de la série télévisée du même nom. (Plus tard, je m'aperçus que, même dans un rêve, on confond les émissions de télé. En fait, le signe qu'Anna me fit ressemblait plutôt au coup de baguette nasal de *Ma sorcière bien aimée* qu'au mouvement de cou de Jinny que je pris, alors, pour un mouvement du nez, erreur qu'en état de veille, évidemment, je n'aurais jamais commise.) Je compris que tu me demandais de décapsuler la bouteille où tu étais emprisonnée. Plusieurs pensées m'assaillirent: 1) je n'ai pas sur moi d'ouvre-bouteille; 2) si je la libère, elle s'enfuira pour de bon; 3) pour une fois que je l'ai sous la main, il vaut mieux en profiter; 4) comme c'est pratique une Anna miniature et portative! 5) la pauvre, est-ce une vie de tourner en rond au fond d'une bouteille de Coca-Cola? 6) qu'a bien pu faire Anna pour mériter un sort pareil? 7) si j'étais à sa place, je suffoquerais, asthmatique et sujet aux allergies comme je suis; 8) regarde autour de toi si quelqu'un te surveille et mets la bouteille dans ta poche, ni vu ni connu; 9) si je me fais prendre, c'est la prison; 10) je ne veux pas croupir et mourir dans une prison mexicaine

comme dans le film *Midnight Express* (l'action se passe en Turquie, mais encore une fois, il y eut, ici, confusion de ma part); 11) mais comment résister au cou de nez d'Anna? 12) oui, comment? C'est alors que, débordant d'amour pour toi, j'ouvris cette bouteille en me mettant le goulot dans la bouche. Je me pétai les deux dents du devant, mais j'oubliai la douleur en t'entendant rire. Dès que tu t'échappas de la bouteille sous forme de fumée joyeuse, tu repris tes dimensions normales et te sauvas au galop. Je voulus te rattraper, mais le gardien du musée me retint par les cheveux. Je dus lui donner tous mes *American Express* pour qu'il me laisse partir, la bouteille vide dans les mains. Dehors, il y avait la mer. Verte. Et le soleil. Jaune. Je m'assis sur le sable brûlant et, comme je l'avais fait au musée, examinai la bouteille à la lumière du jour. Tu n'étais plus là, mais je vis quelque chose au fond. Je secouai la bouteille et une touffe minuscule de cheveux blonds tomba dans ma paume. Je me réveillai. En sueur. Comme si le soleil du Yucatán avait veillé toute la nuit dans ma chambre, juste au-dessus de mon lit. J'ouvris la main en vitesse. Il y avait dans ma paume un cheveu. Un seul. Je ne rêvais pas, me dis-je! J'allumai la lampe de chevet pour mieux apprécier mon butin. Hélas, le cheveu était noir. Cette histoire d'anna dose, de bouteille de Coca-Cola et de cheveu me perturba longtemps. Chaque matin, j'ouvre encore la main pour vérifier si un cheveu blond ne s'y trouve pas.

ANNA DRAP : Espèce de papillon australien dont le mâle, cinq fois plus petit que sa femelle, disparaît complètement entre ses ailes lors du coït annuel et retourne, une fois celui-ci accompli, à l'état de chenille. Désorienté, il se retrouve immanquablement sous la semelle d'un touriste ou sous la patte rugueuse d'un koala, expiant en expirant. La forme de ce papillon a inspiré à une équipe d'ingénieurs du Mali et d'architectes de Californie la construction en série de capteurs solaires qui ont connu un succès immédiat et se vendent comme des petits pains chauds. Ces capteurs sont aussi sensibles à la chaleur humaine dégagée lors de certains états émotifs. La ville de New York prévoit que, d'ici l'an 2010, elle sera en mesure de se passer des services d'Hydro-Québec grâce au taux élevé de dépression de sa population que les anna draps convertissent en électricité. Mais le Québec

n'a pas à craindre l'avenir. Grâce aux richesses naturelles infinies de ma peine d'amour, Montréal pourra briller encore longtemps de tous ses néons et exporter chaleur, lumière et volupté jusqu'en Gaspésie.

ANNA EMBARGO : En danse, *pas de deux* qui ne mène nulle part. Les plus beaux anna embargos sidèrent, clouent sur les fauteuils, provoquent des tonnerres d'applaudissements au grand étonnement des danseurs qui, sous leur sueur, ébauchent des plans d'évasion. La télévision américaine s'est emparée du phénomène non sans une certaine robustesse et l'a imposé à un public cible de plus en plus captif et ignorant de sa réelle position dans le monde. C'est ainsi que l'Anna Embargo International (A.E.I.) a vu le jour, profitant de la récession économique mondiale et de la satellisation des médias pour s'imposer dans les salons, les cœurs et les reins de toutes les nations modernes et en voie de le devenir. L'A.E.I. m'a personnellement affecté l'an dernier et j'ai dû avaler ma télé, câble compris, pour retrouver l'usage de mes jambes, de la parole et donner à mes yeux un repos mérité. Manger l'impossible, Anna, a été la seule planche de salut accessible à mes membres engoudis par tout ce que je n'ai pas pu faire avec toi, en toi, pour toi.

ANNA ÉCHO : Forme musicale complexe qui se nourrit des neurones de son compositeur. Certaines écoles psychiatriques définissent l'anna écho comme un redoublement de la personnalité. D'importantes études critiques ont démontré un lien entre la poésie et l'anna écho. Le postmodernisme, pour certains, ne serait qu'une vaste vague d'anna écho gommant et regommant sur ses passages successifs le sens, au point d'en faire des boulettes non biodégradables. Pour les historiens de l'école du quartier Côte-des-Neiges, l'anna écho agit à rebrousse-poil, mêle les cartes et fait tourner en rond. Pour moi, l'anna écho est un coup de téléphone qui sonne au plus profond de mon cœur. Y répondre serait fatal. (Anna, je collectionne tous tes silences, de a à z.)

ANNA ICEBERG : Ce qui ressort de l'œil après y être entré par effraction. Alliage précieux qu'on retrouve dans le fuselage des avions et qui, à très haute altitude, émet un son que typhons, ouragans et tornades rabattent sur terre, amplifié par leur souffle, le transformant, la nuit, en voyelles.

Surtout a. Utilisé près d'un lampadaire, signifie éclair de génie : « J'ai été frappé par un anna iceberg. » Dans les pays tempérés, piste de ski pour ceux qui n'ont plus rien à perdre. Terme médical pour désigner la cécité momentanée. Synonyme de temps durs, je-m'en-foutisme, grondement intérieur, valse, congédiement, traumatisme crânien, etc. Note : En fait, anna iceberg signifie n'importe quoi, mais pour celui qui a goûté à la cocaïne de tes lèvres, Anna, il signifie l'extase vierge, gelée, stupéfaite jusqu'à l'extinction définitive des couleurs.

ANNA LÉTHARGIE : Miroir que les anciens Égyptiens utilisaient pendant les rituels de momification. On a cru longtemps que les anna léthargies, toujours découpées selon les contours du visage de l'embaumé, avaient pour fonction d'empêcher l'âme de se diluer dans l'espace. Beaucoup de chercheurs ont réfuté cette thèse, arguant de l'absence de lumière dans les chambres funéraires des pyramides. La plupart des gens, vous comme moi, sont d'avis que l'anna léthargie symbolisait la vanité de toute chose : qu'est-ce qu'un miroir sans image, sans reflet ? Un film en attente, enroulé sur lui-même jusqu'à l'étouffement, macérant dans le noir comme un remords, celui de ne pas avoir été. Peut-être. Mais je suis parfois porté à croire que l'anna léthargie servait bêtement de rétroviseur.

ANNA OBUS : Moteur à explosion de construction récente, utilisé principalement sur les méga chantiers hydro électriques. L'anna obus efface tout sur son passage, nettoie la place, fait reluire le vide de propreté, fait tomber sur le dos, le cul. Les effets secondaires de l'anna obus ne sont pas couverts par l'assurance-maladie. Prévoir plusieurs vies avant de s'en remettre. (Anna, la déflagration de tes pas sur la neige, un soir de décembre, me hante encore. Ce soir-là, j'ai compris de quel bois sec je pourrais me chauffer. Pourquoi n'ai-je pas eu le courage de déchirer cette peau blanche qui te sert à envelopper le couteau de la beauté ?)

ANNA PARACHUTE : Autre façon de dire « l'amour donne des ailes ». Par extension amoureuse, aveugle et infinie, ouverture de la poitrine suivie de l'éjection des poumons. Utilisation vulgaire : tout ce que l'amour produit de blanc, tout ce qu'il gonfle, envoie en l'air, fait retomber doucement.

(Anna, je t'aime même entre parenthèses.)

ANNA PEAU : Toile de fond servant aux histoires d'amour qui finissent mal. Broderie populaire du Rajasthan (XVIIIe et XIXe siècles) utilisée dans la confection de couvre-lits. Dans la mythologie grecque, labyrinthe où on jetait les enfants nés sans leur consentement. Plus tard, on s'est plu à y jeter tout ce qui passait par la porte : amants frustrés, pots de chambre ébréchés, vieux magazines, rêves déçus, colliers cassés. L'anna peau grec est ainsi à l'origine du dépotoir moderne. Quand on l'emploie au féminin (une anna peau), toutes ses significations clignotent, vacillent et s'évanouissent dans le néant d'où peut émerger le seul sens qui m'intéresse : le réseau que ta peau tend à mes sens et à mon sens de l'orientation infiniment détraqué qui me permet d'y tourner en rond indéfiniment.

ANNA SANS CŒUR : Caractère d'une chose impossible lorsqu'elle est sur le point de cesser de l'être. Les présocratiques ont été les premiers à définir les contradictions internes de la notion d'anna sans cœur qui, par la suite (il y a toujours une suite aux idées), ont influencé la pensée moderne, l'art de boire son café seul en écoutant à la radio le bulletin de nouvelles et l'accompagnement aux mourants dans les grands centres hospitaliers. Le sens propre de l'anna sans cœur s'est passablement liquéfié au XXe siècle, au point de puer, d'apparaître par plaques, par dépôts de gras. On l'emploie alors dans des moments de stupeur, d'ivresse, de fixation oculaire et d'impuissance morale. L'anna sans cœur est aussi le nom donné à une fleur carnivore découverte au Yukon et qui est à l'origine – croit-on – de l'extinction des mammouths.

ANNA SQUAT : Histoire racontée aux enfants pour les éveiller au sens de la mort, à ses dents de scie, à sa ponctualité. Les anna squats existent dans toutes les cultures et ont fait l'objet de plusieurs compilations savantes. Dernièrement, les marchés de la bande dessinée et du logiciel se sont emparés du contenu annasquattique et l'ont médiatisé à outrance. Résultat : les enfants ont peur, courent dans les rues et meurent en bandes. L'annasquattisme, phénomène social récent, est devenu une plaie. Elle saigne à l'aube, se coagule au crépuscule. Un mouvement artistique important s'est développé autour. Certains artistes

en sont durement frappés et meurent inconnus. (Anna, ma série photographique « Où est passée Anna ? » relève du pur annasquattisme. Chacune de ces photos coupe le réel, le fend, le découpe selon le pointillé lumineux de ta silhouette et permet l'évacuation de la beauté, son arrivée à l'air libre, sa promotion à l'incandescence. Tu es le flash qui donne sa lumière à la lumière. L'espace, nerveux autour de toi, échoue à te cadrer. Anna, Anna, tu grésilles tant dans la poussière de ce monde que ni oxyde ni personne ne peuvent te fixer. Ma pauvre série balbutie comme un cœur.)

ANNA TOUT COURT : Cul-de-sac invisible qui prend tout le monde par surprise. Y compris moi. Nom donné au hoquet quand il s'allonge au point de se lier au suivant qui, lui-même, se lie au suivant, et cela, jusqu'à remplacer l'étonnement de vivre par une exclamation empesée qui rappelle l'état de l'oie en gavage. Autre nom donné à *L'Annonce faite à Marie*. Dans les pays tempérés, état des pistes de ski pendant l'été, d'où l'expression « glisser sur des anna tout court » qui tend à remplacer de nos jours « marcher sur des œufs ». (Un petit mot, Anna : tu pratiques la synonymie, l'appellation contrôlée, l'extase lactée, le passage à l'acte fatal, le regard allongé, le saut de carpe, tu fais cela bien et même trop bien, mais quand cesseras-tu d'émettre ces ondes que mes capteurs affolés gobent, siphonnent et entassent sans pouvoir retourner à l'air libre le monoxyde d'amour qui m'empoisonne l'existence, les veines et l'haleine ? Je sais, je suis ingrat, je rase de près l'ignominie, je fais honte à la santé publique, à la marche du progrès, à la flèche polychrome des temps postmodernes, je suis indigne d'un logiciel, d'un plan de carrière et je ne me supporte plus qu'en état d'apesanteur (ce qui est rarissime), je sais cela, je le sais même trop bien, mais as-tu une seule fois, Anna, payé les comptes en souffrance de ma témérité, plus verte que jamais ?)

ANNA TROU NOIR : Théorie de l'amour qui rallie tous ceux qui sont contre. Mais moi, Anna, je m'en fous. Je crois en ton début, en ton big bang, à ton onde de choc, à l'éraflure que le temps te fait aux paupières. La plaque rectangulaire et noire du film *2001 Odyssée de l'espace,* j'ai su tout de suite que c'était toi sous forme de colère comprimée. Tes cheveux, trempés dans la peinture, ont peint par dégoulinades le t des totems, le i des pics, la tôle des tramways et les graffiti que la brique et la pierre ont bus entre leurs failles granuleuses. Si à Paris on aime, à Montréal on tombe en amour et ça fait mal longtemps, ça dépasse l'entendement, ça détache le cortex de ses idées reçues, ça met bout à bout les rails jumeaux de la haine, ça fait claquer les draps, l'horizon et les chevaux. J'ai étudié jusqu'à l'anémie la théorie d'anna trou noir, j'ai brûlé les mille bouts de la chandelle, usé mes fonds de culottes, os du bassin compris, et agité tard ma cervelle sur le plexiglas des gratte-ciel. J'ai confondu la grande et la petite aiguille de ma montre, la petite et la grande ourse de ma dérive. J'ai vendu mon sang à des récipients impassibles, observé Dieu au galop, les jambes à son cou, tentant de rapporter dans son calepin de notes les esquisses de ta beauté échappée. La théorie d'anna trou noir, mise en pratique, me fend en deux, ouvre pour l'éternité mon jeans, dévoilant son contenu à des passants de sable et de fatigue. Mais, Anna, qu'est-ce qu'un trou qui aspire jusqu'au rebord l'être, le retourne, le tord et l'envoie paître dans le néant ? Qu'est-ce, mon Anna, sinon toi et moi et cette interminable fin de non-recevoir ? Le ciel mange, je digère. Et j'espère de nouveaux chapitres à ta longue et renversante théorie, même si je n'y comprends rien.

ANNA VAGUE : Grand manteau de toile ou de lin très en vogue dans la France d'après-guerre. On le portait surtout lorsqu'on était poète, existentialiste, sur le point de commettre un vol, un suicide. Ce manteau a inspiré une flopée de peintres et de sculpteurs en révolte contre le surréalisme, prêts à vendre leur chemise plutôt que d'abdiquer la prédominance de la forme sur le fond. L'anna vague est ainsi devenu l'emblème d'un mouvement qui a fait couler de l'encre au point de semer la confusion dans les esprits et de perturber, sinon choquer, l'opinion publique. Les larges manches de ce manteau, l'amplitude de sa coupe, incitaient à la dissimulation et à la surprise. L'anna vague est aussi le nom d'une célèbre comédie musicale (*Anna va! Anna vague!*) dont la trame est cousue des fils blancs et noirs de l'amour et de la révolte. La scène finale se déroule sur le Pont-Neuf, d'où la jeune héroïne s'élance. Dans la version américaine, elle s'élance du pont de Brooklyn (ce qui change tout). Elle est sauvée, de façon spectaculaire, par l'ouverture de son anna vague qui, gonflé par l'espoir, transforme sa chute mortelle en un gracieux et rafraîchissant saut en parachute qui la fait atterrir saine et ravie sur le pont du navire où son amant, bras ouverts, la reçoit comme un don du ciel. Combien de fois, Anna, le doigt sur «pause» (la version filmée est sortie en vidéo), ne t'ai-je pas laissée en suspens dans les airs?

ANNA ZOO : Géométrie cruelle qui culmine les soirs de pleine lune. Chez les Africains du Mozambique, fluide que dégage la terre mouillée, à l'aube, capable de sortir du coma un troupeau d'éléphants. Pendant la saison des pluies, dangereux. En Gaspésie, nom donné à une danse effrénée lors de laquelle les participants piétinent les coquillages rejetés par la mer, d'où l'expression «poudre d'anna zoo». Ex.: Jeter de la poudre d'anna zoo dans le vent ne donne rien. En verser dans son vin, idem. Dans son bain, idem. (Anna, Anna, ton nom est un tunnel. J'entre en extase en a, je sors en transe en a, je nage de n en n jusqu'à la fin des ténèbres. Ô Cylindre! Ô Ange! J'enchaîne tes anneaux jusqu'à l'extinction du cercle!)

Table

OUVRAGE RÉALISÉ PAR
LUC JACQUES, TYPOGRAPHE
ACHEVÉ D'IMPRIMER
EN NOVEMBRE 2002
SUR LES PRESSES DE L'IMPRIMERIE MARC VEILLEUX
BOUCHERVILLE (QUÉBEC)
POUR LE COMPTE
DE LEMÉAC ÉDITEUR
MONTRÉAL

DÉPÔT LÉGAL
1re ÉDITION : 3e TRIMESTRE 2002
(ED. 01 / IMP. 02)

Ville de Montréal

BENNY   **Feuillet de circulation**

À rendre le

2 0 FEV. 2003	
2 4 AVR. 2003	
1 5 MAI 2003	
2 4 JUIN 2003	
8 AOUT 2003	
1 6 SEP. 2003	
2 1 FEV. 2004	

06.03.375-8 (05-93)

RELIURE LEDUC INC